① Frontières des ténèbres 04/84 E

Le professeur Barllow a un accident qui lui cause un dédoublement de la personnalité. Calme et réservé il devient agressif et aventureux prenant Carruthers (personnage de roman) pour nom. Seul il part en guerre contre l'Iranie et Ghcom et fomente une révolution réussie en Iranie. Puis il retrouve la santé et sa vraie personnalité. Mystérieux au début et bourré d'action par la suite. Excellent.

---

② L'affaire Pelteco 04/84

# Le masque de Dimitrios

Dimitrios Makropoulos a eu presque toutes les polices d'Europe à ses trousses. Aussi est-ce avec satisfaction que le colonel Haki montre à Charles Latimer le cadavre qui repose en sûreté à la morgue d'Istanbul. Latimer, auteur de romans policiers à succès, est justement à la recherche d'un sujet. Cela serait fascinant, pense-t-il, de reconstituer la carrière criminelle de Dimitrios, voire de combler les lacunes laissées dans les dossiers de la police. Mais comme l'écrivain ne tarde pas à le découvrir, sa tentative pour voir derrière LE MASQUE DE DIMITRIOS se révèle plus que dangereuse. Elle pourait être fatale...

*Eric Ambler est né à Londres en 1909. Entre 1937 et 1940 il écrit six romans devenus des classiques; parmi eux,* le Masque de Dimitrios *que beaucoup considèrent comme son chef-d'œuvre. Après six années passées dans l'Armée britannique, suivies de quelques autres à écrire des scénarios et à produire des films, il revient au genre dont il demeure le maître incontesté. Quatorze livres — salués unanimement par le public et la critique — publiés depuis 1951.*

*Eric Ambler vit en Suisse.*

# Du même auteur

À PARAÎTRE
AUX ÉDITIONS DU SEUIL

La Croisière de l'angoisse
Épitaphe pour un espion
L'Affaire Deltchev
L'Héritage Schirmer
Frontière des ténèbres
Les Visiteurs du crépuscule
Trafiquants d'armes
Énergie du désespoir
Complot à Genève
Une sale histoire
N'envoyez plus de roses

*Eric Ambler*

# Le masque de Dimitrios

roman

TRADUIT DE L'ANGLAIS
ET PRÉFACÉ PAR
GABRIEL VERALDI

*Editions du Seuil*

TEXTE INTÉGRAL.

EN COUVERTURE : illustration Bruno Galey.

ISBN 2-02-006721-8.

Titre original : *The Mask of Dimitrios.*
Première publication en anglais, Hodder & Stoughton, 1939.


Première publication en français, Editions Planète, 1966.

# *Préface*

## UN CLASSIQUE : ÉRIC AMBLER

*En 1948, Eric Ambler s'installa dans une villa du comté de Kent appartenant à l'auteur dramatique Noël Coward. Une condition verbale de la location était qu'il recommencerait à écrire. Noël Coward n'était pas le seul à trouver inadmissible le silence d'un romancier qui avait produit à trente ans trois livres remarquables et, avec* le Masque de Dimitrios, *« un chef-d'œuvre », « un classique ».*

*Ambler n'avait rien publié depuis 1940. Certes, il y avait eu la guerre, dont il avait été démobilisé au grade de lieutenant-colonel. Puis il lui avait fallu gagner sa vie. Son métier de scénariste auprès de la* Rank Organization *était plus adapté à son tempérament que ses activités d'avant-guerre comme ingénieur, comédien et rédacteur publicitaire. Tout de même, c'était un médiocre emploi pour un talent dont Hitchcock disait en 1943 : « Il serait difficile, sinon impossible, de songer à un autre auteur de romans d'espionnage combinant autant de qualités originales et admirables. »*

*La conspiration amicale réussit. Il y avait peut-être aussi dans la maison de Noël Coward une grâce particulière, puisque le locataire suivant ne fut autre que Ian Fleming. Avec* Judgment on Deltchev, *Eric Ambler reprenait en 1951 sa place, généralement considérée comme la première, à moins qu'elle ne soit, a-t-on écrit encore : « une catégorie à part ».*

*Cette rentrée ne fut pas facile. Il l'a avoué dans une de ses rares, très rares confidences : « J'ai réécrit le livre cinq fois. En même temps, j'ai commencé et abandonné trois autres romans. La difficulté, je crois, était que le monde intérieur qui avait inspiré mes premiers livres était si profondément transformé que je devais le réexplorer. Il me fallait négocier avec des découvertes intimes aussi nouvelles qu'étranges. »*

*Il n'y a là rien de surprenant. Pour un véritable écrivain, la création est l'aspect le plus significatif, donc le plus intense et le plus précaire de sa vie. Chaque livre est une aventure. Il peut avoir fait* le Rouge et le Noir *et, pendant quinze ans, tout manquer, jusqu'à ce qu'il dicte* la Chartreuse de Parme *en cinquante-deux jours.*

*Le surprenant est qu'Ambler se sente tenu d'ajouter : « Si cela paraît trop solennel pour un auteur de* thrillers, *dont le but unique et avoué est de distraire, je voudrais citer Ian Fleming : " Alors que les* thrillers *peuvent n'être pas de la littérature, il est possible d'écrire ce que je définirais au mieux comme : des* thrillers *conçus pour être lus comme de la littérature. Un tel but excusera certainement un peu de solennité et de réflexion critique. " »*

*Pourquoi diable excuser un peu de réflexion critique ? Pourquoi tant d'humilité ? Parce que l'on ne fait pas de la « vraie littérature ». Ah ! mais voilà qui ranime un fameux débat : Qu'est-ce que la littérature ?*

## LA FONCTION LITTÉRAIRE

*Le dictionnaire étant par définition le recueil des mots, on ne peut en attendre que des équivalences décevantes des mots les uns par les autres. Pourtant, il en sort souvent des évidences solides.* Littérature, *dit le Larousse : « ensemble des productions littéraires d'un pays, d'une époque ».*

*Poursuivant ce jeu de définitions, passant par le* roman : *« récit en prose d'aventures imaginaires, inventées et combinées pour intéresser le lecteur », il est inévitable de conclure que le roman d'espionnage appartient à la littérature. Et pourtant, ce n'est pas si simple. « Même Graham*

Greene n'a pas plus fait qu'Eric Ambler pour que les thrillers soient acceptés par les critiques comme de la littérature. » Cette opinion d'Anthony Boucher, lui-même auteur célèbre de romans policiers et critique du New York Times, ne fait que souligner l'idée admise : romans d'espionnage, romans policiers, romans d'aventures, thrillers en un mot, c'est-à-dire les romans dont le but est de provoquer un thrill, une émotion presque physiologique, ne sont pas de la littérature.

Mais qu'est-ce que la littérature ? Me posant cette question, je regarde, dans ma bibliothèque, le cours professé en 1899 par une illustre autorité, à l'époque, à l'Ecole normale de jeunes filles. Le roman occupe la vingtième partie du cours. « A la différence de nos leçons précédentes, déclare le professeur, je ne vous demanderai pas, mesdemoiselles, de lire les auteurs dont nous allons parler. Il s'agit, en effet, du roman. »

Ainsi, après Balzac, Flaubert, Tolstoï et Dickens, le roman reste, au seuil du XXe siècle, un paria de l'Université. Il a pris sa revanche. Les genres nobles, le théâtre, la poésie se sont réfugiés à la périphérie du domaine littéraire. Un homme qui croit avoir quelque chose à dire n'emploie guère la poésie et le théâtre. Il emploie le roman ou l'essai.

Cependant, la situation a évolué, depuis Malraux, Proust, Huxley, Joyce et une période de l'histoire des lettres où le grand romancier combinait un récit, une morale, une vision du monde. De plus en plus, le roman, le « nouveau roman », se refuse au récit et à la morale. Quant à la vision du monde qu'il propose, un critique de l'Observer la définit férocement : « un compotier de fruits en cire arrangé par un schizophrène ». Sans porter de jugements de valeur, il faut bien reconnaître que le roman moderne entre dans le processus que les spécialistes de l'évolution nomment : l'indépendance fonctionnelle. C'est-à-dire qu'une espèce vivante développe ses caractéristiques sans tenir compte de l'adaptation au milieu. L'exemple le plus pittoresque est le tigre-aux-dents-de-sabre. Autant une bonne paire de canines à la mâchoire supérieure est précieuse pour un carnivore, autant des dents de trente centimètres ne favorisent *pas l'alimentation. Cette espèce a depuis longtemps disparu, alors que le tigre mieux adapté survit.*

*Il en fut de même pour des formes littéraires, on pourrait dire des « espèces » littéraires, qui n'échappent pas aux règles générales de l'évolution. Ainsi, la tragédie classique. Il ne reste rien de l'œuvre « noble » de Voltaire, alors que des fantaisies de circonstance, comme ses* Contes, *ne cessent de provoquer notre rire et notre admiration.*

*Bien sûr, nous n'avons pas le recul et l'objectivité suffisants pour prophétiser sur l'avenir du nouveau roman. Le présent, en tout cas, est clair. Claude Gallimard me disait il y a quelques jours : « Le drame de l'éditeur est que la critique et le public n'aiment plus la même chose. La meilleure critique ne fait pas vendre un roman. Le public réagit comme si sa confiance avait été trompée. C'est au point que tout roman lui semble* a priori *suspect. Il se rabat sur l'essai, le document, l'histoire, parce qu'il a l'impression de savoir ce qu'il achète. »*

*Toujours sans porter de jugements de valeur, en nous bornant à la banale observation sociologique, nous devons admettre que le public a raison. La littérature a pour fonction évolutive de donner une vision du monde. L'écrivain agit comme un explorateur, comme un colonisateur. On attend de lui qu'il apprivoise la réalité menaçante, déconcertante. Il fournit des cartes, des repères et des directives pour aider à vivre. Les personnages créés par un grand écrivain sont les modèles d'interprétation et de conduite en un temps donné.*

*La nouvelle conception du roman ne remplit plus cette fonction ? Alors, le public s'en désintéresse. Il va chercher ailleurs les cartes dont il a besoin. Là est l'origine du succès immense du* thriller. *Là est l'importance d'Eric Ambler.*

## LE « BOOM » DE L'ESPIONNAGE

*En ces années 60, le succès du roman d'espionnage est écrasant. « L'industrie du divertissement », écrit Len*

Deighton, l'auteur d'Ipcress File, dans un article aussi profond qu'hilarant (« Art go Boom? », Playboy, mai 1966), « crut avoir trouvé ce qu'elle cherche depuis toujours : un substitut au talent. » Le secret du best-seller était l'espionnage. Aussitôt, les tâcherons se mirent au travail; les anciens, qui avaient pris leur retraite chez les bouquinistes, furent remobilisés et réédités sous de nouveaux titres où apparaissaient les mots magiques : espion, services secrets, James Bond.

Seulement, le public ne marcha pas. « Si c'était si simple, grogna l'éditeur de John Le Carré, nous serions tous retirés sur nos yachts. » Une superbe collection d'invendus a fini par dévoiler l'amère réalité : dans les romans d'espionnage de Ian Fleming, John Le Carré, Len Deighton, Eric Ambler, les lecteurs ne cherchaient pas l'espionnage; ils cherchaient le roman. Ils ne demandaient pas leur « ration de crime », comme on le croit encore à l'Observer en critiquant sous ce titre pêle-mêle L'Espion qui venait du froid et des contrefaçons que nous ne préciserons pas par charité. Ils voulaient un récit, une morale, une vision du monde moderne.

La vérification de ce point de vue est donnée par les autres auteurs à succès qui ne s'occupent pas d'espionnage. Françoise Sagan, Morris West, Jean Lartéguy et autres écrivains qui prennent la peine et affrontent le ridicule de faire des histoires et des personnages. Même si l'on n'a qu'un intérêt modéré à connaître les Tropéziens de Sagan, les curés de West et les parachutistes de Lartéguy, ces êtres de papier obéissent au principe balzacien de « faire concurrence à l'état civil ».

Dans cette option, le rôle d'Eric Ambler prend tout son éclat. Il n'est pas surprenant que les mots de « chef-d'œuvre » et de « classique » reviennent sous la plume de critiques, qui en ont lu d'autres. Ou que Ian Fleming, l'arbitre des éminences, ait multiplié les hommages dont il n'était pas prodigue : « Bond détacha sa ceinture, alluma une cigarette. Il sortit de son élégant attaché-case le Masque de Dimitrios... » « J'avais emporté pour le voyage le merveilleux Passage of Arms d'Eric Ambler... » Et *c'était méritoire, car les rivaux et les critiques qui ne manquaient pas de lui faire payer son succès avaient une satisfaction marquée à le comparer, en mal, à Ambler.*

*Heureusement, le gentleman de la Jamaïque était au-dessus de ces mesquineries.*

## LA VÉRITÉ, L'ÂPRE VÉRITÉ

*Mais pourquoi Eric Ambler mérite-t-il cette place à part ? De bonnes têtes se sont attaquées au problème. Anthony Boucher a une hypothèse : « La vogue actuelle et discutée du* antihéros *devrait faire qu'Eric Ambler soit également admiré de l'avant-garde et de tout lecteur en quête d'un divertissement intelligent. Les amateurs de thèses peuvent trouver un prototype de l'existentialisme dans cette série de protagonistes sans héroïsme, qui deviennent ce que les circonstances exigent d'eux, au délice étonné du lecteur. »*

*Je me demande si cette interprétation n'est pas un peu hâtive. Ambler n'a certainement pas voulu créer des antihéros. L'idée est venue plus tard. Chez Len Deighton elle a été entièrement délibérée : « Je décidai d'écrire un récit à la première personne dans lequel le narrateur mentirait à tout le monde si cela servait son objectif. Il ferait une telle erreur de jugement qu'il serait sauvé par un homme dont il aurait toujours dit qu'il le prenait pour un imbécile. Mon personnage aurait des lunettes, un bas salaire, un peu de ventre. Il n'aurait pratiquement pas d'intérêt sexuel. »*

*Len Deighton réagissait contre le surhomme à la Fleming, qui n'est d'ailleurs pas si surhumain que ça. Le colonel Pierre Nord, grand officier de la Légion d'honneur ; le colonel et ambassadeur de France Dominique Ponchardier, compagnon de la Libération ; Richard Sorge, héros de l'Union soviétique ; Tepper, chef de la* Rote Kappelle *et autres maîtres espions connus, pour ne citer que ceux qui ont changé le cours de l'histoire sans que cela se sache, sont à la fois réels et plus invraisemblables que James Bond.*

*De même, John Le Carré a été acclamé pour sa fameuse déclaration : « Que croyez-vous que soient les espions : des prêtres, des saints, des martyrs ? Ils sont une sordide procession de sots vaniteux, de traîtres, oui ! des tantes, des sadiques et des ivrognes, des gens qui jouent au gendarme et au voleur pour animer leur vie crasseuse. »*

*Malgré toute la considération que méritent ces brillants raconteurs d'histoires, ils ne rendent pas compte des faits observables. Leur réalisme est pris dans le sens de « chanteuse réaliste », de romantisme du trottoir, aussi statistiquement faux que celui de* la Dame aux camélias.

*Ambler ne cherche pas à décrire un antihéros. Il veut peindre les hommes véritables, dans la mesure où les personnages du plus génial écrivain sont une approximation des êtres vivants. La carte n'est pas le territoire. La littérature n'est pas la réalité empirique des hommes.*

*Mais la science la plus rigoureuse n'est pas non plus l'univers. Elle est une symbolisation de l'univers permettant aux humains d'améliorer progressivement leur image et leur maîtrise des événements. C'est ce que tente et réussit Eric Ambler. Le professeur Paxton Davis a, je crois, bien situé le problème en disant : « Il a pris une tradition morte et lui a donné une vie nouvelle. » Il a pris une forme littéraire inférieure et en a fait un instrument d'analyse de la réalité sociale. Bref, il a fait du roman d'espionnage ce que Balzac et Tolstoï ont fait du roman tout court.*

## « VOUS VOULEZ COMPRENDRE... »

*Charles Latimer, le protagoniste du* Masque de Dimitrios, *est un universitaire qui, pour des raisons de principe, a quitté la carrière d'enseignant. Il gagne sa vie comme auteur de romans policiers à la Agatha Christie. Soudain, la réalité du crime, de la politique secrète, de l'histoire cachée, s'impose à lui.*

*Tout au long de cette plongée dans la vérité de l'aventure humaine, en ces années terribles qui débouchent sur la Seconde Guerre mondiale, il songe à son prochain roman. Il lui faut une intrigue, des personnages amusants, la matière d'un de ces jeux d'esprit qui amuseront les lecteurs et le feront vivre. Mais, contre toute raison, il veut comprendre pourquoi les humains se comportent ainsi, pourquoi ils se précipitent vers la guerre. Et c'est la tragédie de tous les temps, les problèmes du destin, du sens de la vie, qui font irruption dans la conscience de Latimer et dans celle du lecteur.*

Le Masque de Dimitrios *a été « une bouteille à la mer ». Ambler ne cherchait ni à améliorer ses revenus ni à réagir contre un auteur à la mode. Par anticipation inexpliquée du véritable écrivain, il lançait dans l'avenir une sonde comme on en lance aujourd'hui dans l'espace. Il ne pouvait sûrement pas prévoir que ce livre deviendrait, selon les mots de Maurice Richardson : « le modèle à étudier ». L'inspiration lui vint lors d'un voyage en troisième classe entre Paris et Marseille. Le siège était trop dur pour lui permettre de dormir. Il rêva et nota au matin : « Début en Turquie. Fin à Paris. Demetrius ? Dimitrios ? » C'est l'inspiration toute nue et cela se sent à chaque page de ce livre poignant.*

*Il y a près de quinze ans que je l'ai découvert, par hasard, dans un aéroport. Comment se faisait-il que je ne connaisse pas cet auteur ? Alors, j'avais une idée trop optimiste de l'édition. Un pays comme la France pouvait fort bien ignorer un romancier célèbre à Tokyo et à Helsinki, je l'ai appris plus tard. Cela m'a laissé le bonheur de le traduire et de l'éditer. C'est maintenant au lecteur d'accomplir son agréable, et essentielle, participation au grand œuvre romanesque.*

Gabriel Veraldi.

I

# Les origines d'une obsession

Un Français nommé Chamfort, qui aurait dû être mieux inspiré, a dit que le hasard était un surnom de la providence.

C'est là un de ces aphorismes confortables, fabriqués pour nier la vérité déplaisante que le hasard joue un rôle important, sinon prédominant, dans les affaires humaines. Il n'est pourtant pas sans excuse. Le hasard agit parfois avec une sorte de cohérence inepte qu'il est facile d'interpréter comme l'œuvre d'une providence consciente. L'histoire de Dimitrios Makropoulos en est un bon exemple.

Le fait qu'un homme tel que Latimer apprenne seulement l'existence d'un Dimitrios est en soi grotesque. Qu'il voie le cadavre de Dimitrios, qu'il gaspille des semaines à pénétrer dans sa sombre histoire, qu'il se trouve finalement dans la situation de ne survivre que grâce aux goûts bizarres d'un criminel en matière de décoration, cela est suffocant d'absurdité.

Cependant, lorsque ces faits sont reliés aux autres faits de l'affaire, il est difficile de ne pas être saisi d'une peur superstitieuse. Leur absurdité même semble proscrire les mots « hasard » et « coïncidence ». Il ne reste au sceptique qu'une consolation : s'il y a une loi surhumaine, elle est administrée avec une efficacité sous-humaine. Le choix de Latimer comme instrument ne pouvait être fait que par un idiot.

Pendant les quinze premières années de sa vie adulte, Charles Latimer devint chargé de cours d'économie politique dans une université anglaise de deuxième ordre.

A trente-cinq ans, il avait d'autre part écrit trois livres. Le premier était une étude de l'influence de Proudhon sur la pensée politique du XIXe siècle italien. Le second était intitulé : *le Programme de Gotha.* Le troisième exposait les implications économiques du livre de Rosenberg : *Der Mythus des zwanzigsten Jahrhunderts.*

Ce fut peu après la fin des corrections de cet ouvrage, et dans l'espoir de chasser la dépression produite par la philosophie du prophète national-socialiste, qu'il écrivit son premier roman policier.

*Une pelle ensanglantée* fut un succès immédiat. Suivirent *Moi, dit la mouche* et *les Armes du crime.* De l'armée des universitaires qui écrivent des romans policiers à leurs moments perdus, Latimer émergea comme l'un des rares originaux capables d'en tirer profit. Il était peut-être inévitable qu'il devienne tôt ou tard un écrivain professionnel. Trois facteurs hâtèrent la transition. Un désaccord avec les autorités universitaires sur une question qu'il considérait comme de principe. Une maladie. Sa situation de célibataire. Il venait de publier *Ce n'est pas le clou d'une porte ;* la maladie l'avait sérieusement éprouvé ; il envoya sans grand déplaisir sa lettre de démission et partit terminer au soleil son cinquième roman.

La semaine après avoir achevé le sixième, il arriva en Turquie. Il avait passé un an à Athènes et il sentait le besoin de changer d'endroit. Sa santé s'était considérablement améliorée mais la perspective d'un automne anglais n'avait rien d'attrayant. A la suggestion d'un ami grec, il s'embarqua au Pirée pour Istanbul.

Ce fut là, et par le colonel Haki, que pour la première fois il entendit parler de Dimitrios.

Une lettre d'introduction est un document embarrassant. Le plus souvent, le bénéficiaire connaît à peine celui qui la lui a donnée, lequel risque de connaître encore moins le destinataire. Les chances que sa présentation ait un heureux résultat pour les trois parties en cause sont minces. Parmi les lettres d'introduction que Latimer apportait à Istanbul, l'une était à l'intention d'une certaine Mme Chavez qui habitait, lui avait-on dit, une villa sur le Bosphore. Trois jours après son arrivée, il lui écrivit et reçut en réponse une invitation à se joindre à un long week-end. Il accepta, avec quelque appréhension.

Pour Mme Chavez, la route de Buenos Aires avait été autant pavée d'or au retour qu'à l'aller. Turque remarquablement belle, elle avait épousé un gros producteur de viande et en avait divorcé avec un succès égal ; une part des bénéfices de cette affaire lui avait permis d'acheter un petit palais qui avait abrité autrefois un prince turc de second rang. Il se dressait, isolé et d'accès difficile, dominant une baie d'une splendeur fantastique ; à part que l'approvisionnement en eau était insuffisant pour alimenter une seule des neuf salles de bains, il était délicieusement installé. S'il n'y avait eu les autres invités et l'habitude turque de son hôtesse de frapper violemment au visage les domestiques chaque fois qu'ils lui déplaisaient, ce qui était fréquent, Latimer, pour qui cet inconfort grandiose était une nouveauté, s'y serait beaucoup plu.

Les invités consistaient en un couple de Marseillais bruyants, trois Italiens, deux jeunes officiers de marine turcs et leurs « fiancées » du moment, un assortiment d'hommes d'affaires venus d'Istanbul avec leurs femmes. Ils s'occupaient surtout à boire les réserves en apparence inépuisables de gin hollandais et à danser au son d'un gramophone qu'un domestique faisait fonctionner sans arrêt, qu'il y eût ou non des invités présents. Sous prétexte de mauvaise santé, Latimer participait peu à ces deux activités. Dans l'ensemble, on l'ignorait.

Il était assis au bout de la terrasse couverte de vigne hors de portée du gramophone, tard dans l'après-midi du dernier jour, quand il vit une voiture de grand tourisme conduite par un chauffeur en uniforme grimper la route poussiéreuse. Avant qu'elle fût arrêtée dans la cour au-dessous de la terrasse, l'occupant du siège arrière ouvrit la portière à la volée et sortit d'un bond.

C'était un homme grand, aux joues maigres et musculeuses, dont le hâle contrastait élégamment avec les cheveux gris taillés à la prussienne. Le front étroit, le long nez crochu, les lèvres minces lui donnaient un air d'oiseau de proie. Il a bien cinquante ans, songea Latimer, examinant la taille fine sous l'uniforme parfaitement coupé dans l'espoir de détecter un corset.

L'officier tira un mouchoir de sa manche, chassa une invisible poussière de ses bottes de cheval immaculées, inclina son képi en un angle désinvolte et partit. Une cloche sonna quelque part dans la villa.

Le colonel Haki eut un succès immédiat. Un quart d'heure plus tard, M^me^ Chavez, avec une confusion clairement destinée à informer ses hôtes qu'elle se regardait comme à jamais compromise par l'arrivée inattendue du colonel, le conduisit sur la terrasse et le présenta. Rayonnant de sourire et de grande allure, il claquait les talons, baisait les mains, s'inclinait, répondait au salut des officiers de marine, lançait des œillades aux femmes. La scène fascinait Latimer au point qu'il sursauta lorsque son nom fut prononcé. Le colonel lui serra la main avec chaleur :

— Sacrément content de vous rencontrer, mon vieux.

— *Monsieur le colonel parle bien anglais,* expliqua Mme Chavez[1].

— *Quelques mots,* dit l'officier.

— *How do you do ?*

Latimer regarda aimablement les yeux gris pâle.

— Formidable tout à fait, répliqua le colonel avec une courtoisie grave, et il se détourna pour détailler une fille dodue en costume de bain.

Latimer n'eut pas l'occasion de parler au colonel avant la fin de la soirée. Celui-ci avait introduit dans l'assistance une forte dose de vitalité turbulente : crépitant de plai-

1. A part les titres d'ouvrages et les mots soulignés pour marquer l'insistance, les expressions en italique indiquent une langue étrangère dans le texte : le français, généralement, qui était à l'époque le langage international des classes cultivées en Europe centrale et méridionale, comme en Orient et en Amérique latine. Presque toutes les conversations de ce livre sont censées se passer en français. Je ne corrige pas les éventuelles fautes, qui correspondent à la réalité de la conversation entre étrangers.

santeries, riant à gorge déployée, faisant des avances cocasses aux femmes mariées et de plus sournoises à celles qui ne l'étaient pas. De temps en temps, son regard croisait celui de Latimer et il avait une sorte de sourire de dénigrement, comme s'il disait : « On attend de moi que je fasse l'imbécile, mais ne croyez pas que j'aime ça. » Enfin, quand les invités commencèrent à prendre moins d'intérêt à la danse et davantage à une partie de strip-poker, le colonel le prit par le bras et l'entraîna sur la terrasse.

— Je vous prie de m'excuser, monsieur Latimer, dit-il en français, j'aimerais beaucoup parler avec vous. Ces femmes... pff !

Il tendit un étui.

— Une cigarette ?

— Merci.

— L'autre bout de la terrasse est plus tranquille. Vous savez, je suis venu aujourd'hui spécialement pour vous voir. Mme Chavez m'a dit que vous étiez ici et je n'ai pu résister à la tentation de parler avec un écrivain dont j'admire tellement les œuvres.

Latimer murmura un remerciement sans se compromettre. Il était souvent en peine de savoir si les compliments s'adressaient à l'économiste ou au romancier. Il avait une fois suffoqué un bon vieil universitaire, qui lui exprimait son estime pour son « dernier livre », en lui demandant s'il préférait les cadavres assassinés au pistolet ou au poignard. Et cela pouvait passer pour une affectation de réclamer des précisions sur la catégorie d'ouvrages en cause.

Mais le colonel ne le laissa pas dans l'incertitude :

— Je me fais envoyer tous les nouveaux *romans policiers* de Paris. Je ne lis que des *romans policiers*. Vous devriez voir ma collection. J'apprécie particulièrement les romans anglais et américains. Les meilleurs sont traduits en français. Je n'aime guère les auteurs français eux-mêmes. La culture française n'est pas de nature à permettre d'écrire un *roman policier* de premier ordre. Je viens juste d'ajouter votre *Une pelle ensanglantée* à ma bibliothèque. Formidable ! Mais je ne comprends pas tout à fait la signification du titre.

Latimer s'efforça d'expliquer en français le sens de l'expression « nommer une épée une pelle ensanglantée » et le jeu de mots qui avait fourni aux lecteurs attentifs la clé de l'énigme dans le titre même. Le colonel écouta intensément, hochant la tête et disant : « Oui. Je vois. Je vois très bien. » Cela avant que Latimer ait achevé son explication.

— Monsieur, dit-il lorsque l'écrivain eut renoncé à se faire comprendre, me feriez-vous l'honneur de déjeuner avec moi un jour de cette semaine ? Je crois, ajouta-t-il d'un ton mystérieux, que je peux vous aider.

Latimer voyait mal en quoi le colonel pourrait l'aider, mais il accepta volontiers. Ils prirent rendez-vous à trois jours de là au Péra Palace Hôtel.

Ce ne fut que la veille du déjeuner que Latimer se mit à y songer avec intérêt. Il était en compagnie du directeur de la succursale turque de sa banque, au bar de l'hôtel. Collinson était un brave garçon mais d'une conversation fastidieuse. Elle se bornait à des commérages sur les colonies anglaise et américaine à Istanbul. « Connaissez-vous les Fitzwilliams ? Non ? Dommage, ils vous plairaient beaucoup. L'autre jour… » Comme source d'informations à propos des réformes économiques de Kemal Ataturk, il s'était révélé d'une parfaite insuffisance.

— Au fait, demanda Latimer après avoir écouté le compte rendu détaillé de la conduite de l'épouse turque d'un marchand américain de voitures, connaissez-vous un certain colonel Haki ?

— Haki ? Qu'est-ce qui vous fait penser à lui ?

— Je déjeune avec lui demain.

— Pas possible !

Collinson arqua les sourcils et se gratta le menton.

— Eh bien, j'ai entendu parler de lui.

Il hésita.

— C'est un de ces hommes dont on entend parler sans pouvoir les situer vraiment. Un homme qui agit dans les coulisses, pour ainsi dire. Il a plus d'influence que bien des gens que l'on croit au pouvoir. C'était un des hommes de confiance du Gazi en 1919, un député du gouvernement provisoire. On raconte des histoires de torture plutôt atroces. Mais les deux camps en faisaient autant, et après tout ce sont les gars du sultan qui avaient commencé. On dit aussi qu'il est capable de boire deux bouteilles de scotch à la suite et garder la tête froide. Ça, d'ailleurs, je n'y crois pas. Comment l'avez-vous rencontré ?

Latimer expliqua et ajouta :

— En quoi consistent ses fonctions ? Je ne m'y reconnais pas dans ces uniformes.

— Beuh !

Collinson haussa les épaules.

— Je tiens de bonne source qu'il est le chef de la police secrète, mais ce n'est probablement qu'un bruit comme tant d'autres. C'est ce qu'il y a de pire ici. On ne peut pas croire un mot de ce qu'ils disent au club. Par exemple, pas plus tard qu'hier...

C'est avec un net regain d'enthousiasme que Latimer arriva au rendez-vous. Il avait dès l'abord jugé le colonel comme un rufian et les vagues informations de Collinson confirmaient cette impression.

Haki eut vingt minutes de retard. Avec un flot d'excuses, il poussa son hôte vers le restaurant.

— Il nous faut un whisky-soda immédiatement.

Il appela le maître d'hôtel à grand bruit et commanda une bouteille de « Johnnie ».

Durant le repas, il parla des romans policiers qu'il avait lus, de ses opinions circonstanciées à leur sujet, de ses réactions aux personnages, de sa préférence pour les meurtriers qui utilisent les armes à feu. Enfin, entre une glace aux fraises et une bouteille de whisky presque vide, il se pencha vers Latimer :

— Je crois, monsieur, que je peux vous être utile.

L'écrivain eut une seconde de désarroi : allait-on lui proposer un poste dans le service secret turc ?

— C'est très aimable à vous.

— J'aurais aimé écrire moi-même un bon *roman poli-*

*cier.* Malheureusement, je n'ai pas le temps. Le temps... c'est toujours la question. Mais...

Le colonel fit une pause chargée de sens. Latimer attendit. Il rencontrait sans cesse des gens qui auraient pu écrire des romans policiers s'ils avaient eu le temps.

— Mais j'ai une intrigue prête. Je voudrais vous en faire cadeau.

Latimer dit que c'était vraiment très gentil de sa part.

Haki écarta les remerciements d'un geste négligent et noble :

— C'est tout naturel, monsieur. Vos livres m'ont donné tellement de plaisir ! Je n'ai pas le temps d'utiliser cette idée et puis, dit-il avec magnanimité, vous en tirerez meilleur parti que moi.

Latimer émit des sons inarticulés. Le colonel poursuivit :

— La scène se passe dans un domaine anglais appartenant au riche lord Robinson. Au cours d'un week-end qui réunit la meilleure société, on découvre lord Robinson assis à son bureau, la tempe trouée d'une balle. Le sang couvre un nouveau testament, que le lord s'apprêtait à signer. L'ancien testament partageait la fortune également entre six personnes, présentes à ce week-end. Le nouveau testament, que le meurtre a empêché de signer, lègue tout l'héritage à une seule personne. Donc — il braqua une petite cuiller menaçante — le coupable est l'une des cinq autres personnes. C'est logique, non ?

Latimer ouvrit la bouche, puis la referma et fit faiblement un signe de tête.

— Voilà l'astuce, dit le colonel avec un sourire de triomphe. Le lord n'a pas été assassiné par un des suspects, mais par le maître d'hôtel, dont il avait séduit la femme ! Qu'en pensez-vous, hein ?

— Très ingénieux !

— Ce n'est qu'une astuce, certes. Je suis content que vous l'appréciiez. Le *flic* est un commissaire principal de Scotland Yard. Il fait la conquête d'une très jolie femme, l'une des personnes suspectées, et c'est pour elle qu'il résout le problème. C'est tout à fait artistique. Et très original. J'ai noté par écrit les moindres détails.

— Ça m'intéresserait beaucoup de lire ces notes, dit Latimer avec sincérité.

— Je l'espérais. Etes-vous pressé ?

— Pas le moins du monde.

— Alors revenons à mon bureau. Je vous montrerai le texte. Il est rédigé en français.

Latimer hésita à peine. Il n'avait rien de mieux à faire et il pourrait être intéressant d'observer le bureau d'un chef de service secret.

Le bureau était situé dans ce qui aurait pu passer, de l'extérieur, pour un hôtel bon marché, à Galata. Dès l'entrée, c'était sans confusion possible une administration. La pièce privée du colonel était vaste et située au bout d'un long corridor. Quand ils entrèrent, un employé en uniforme installé à la table de travail se redressa, claqua les talons, dit quelque chose en turc. Le colonel répondit et le renvoya d'un signe de tête. Latimer regarda autour de lui. Il n'y avait à part la table que quelques chaises et un appareil américain à fabriquer de l'eau glacée. Les murs étaient nus, le parquet, recouvert d'un tapis de fibre végétale. Des stores verts filtraient la lumière. Il faisait très frais, après la chaleur de la voiture.

Le colonel lui fit signe de s'asseoir, lui offrit une cigarette et fouilla dans un tiroir. Il sortit finalement deux pages dactylographiées et les lui tendit :

— Voici, monsieur. Je l'ai appelé *le Testament taché de sang*, mais je ne suis pas sûr que ce soit le meilleur titre. Il me semble que tous les meilleurs titres ont déjà été utilisés. Je vais en chercher d'autres. Lisez, et n'hésitez pas à me dire franchement ce que vous en pensez. Si vous estimez qu'il faut changer certains détails, je les changerai.

Latimer se mit à lire, tandis que le colonel, assis sur le coin du bureau, balançait une jambe bottée de cuir reluisant. Latimer parcourut deux fois les pages et les reposa. Il avait eu à plusieurs reprises envie de rire.

Jamais il n'aurait dû commettre la sottise de venir ici. Il ne lui restait qu'à filer le plus vite possible :

— Je ne peux pas proposer d'améliorations pour le moment, dit-il lentement. Il faut y repenser à loisir. Il y a tant de questions à considérer. La procédure anglaise, par exemple...

— Oui, évidemment. Mais cela peut vous être utile, n'est-ce pas ?

— Je vous remercie vivement de votre générosité, dit Latimer évasivement.

— Ce n'est rien. Vous m'enverrez un exemplaire gratuit quand le livre paraîtra.

Il s'assit à son bureau et décrocha le téléphone.

— Je vais faire taper une copie que vous emporterez.

« Heureusement, ce ne sera plus bien long », songea Latimer.

Le colonel parla un moment et fronça les sourcils. Il reposa le combiné et demanda :

— Vous permettez que je règle une petite affaire ?

— Je vous en prie.

Haki attira un épais dossier, chercha un papier et l'examina. L'employé en uniforme frappa et entra, portant une mince chemise jaune. Le colonel la plaça en face de lui et tendit *le Testament taché de sang* avec de brèves instructions. L'employé claqua des talons et sortit. Le silence s'installa dans la pièce sombre.

Affectant de s'intéresser à sa cigarette, Latimer étudiait l'officier qui tournait lentement les feuilles de la chemise. Il y avait sur son visage une expression nouvelle, celle d'un expert absorbé dans une tâche qu'il connaît à la perfection ; la vigilance sereine d'un vieux chat contemplant une souris jeune et sans défense. L'écrivain changea soudain d'idée à propos du colonel. Il s'était senti un peu ennuyé pour lui, comme pour quiconque se rend inconsciemment ridicule. Il voyait maintenant que le colonel Haki n'avait nul besoin de ce sentiment protecteur. Cependant que les longs doigts jaunâtres feuilletaient le document, Latimer se souvint d'une phrase de Collinson : « ... des histoires de torture plutôt atroces... ». Il comprit qu'il contemplait le véritable colonel Haki pour la première fois. Celui-ci leva les yeux et son pâle regard s'arrêta pensivement sur la cravate de l'Anglais.

Un instant, Latimer eut le soupçon pénible que l'officier lisait en lui. Puis le colonel le regarda et son mince sourire lui donna l'impression d'avoir été pris en quelque flagrant délit.

— Je me demande si vous vous intéressez aux meurtriers *réels*, monsieur Latimer.

II

# Le dossier de Dimitrios

Latimer se sentit rougir. Du rang de professionnel condescendant, il était tombé à celui de l'amateur ridicule. C'était un peu déconcertant :

— Eh bien, oui, dit-il lentement. Sans aucun doute.

Le colonel fit une sorte de moue :

— Vous savez, monsieur, je trouve le meurtrier de roman beaucoup plus sympathique que le véritable assassin. Dans un *roman policier,* il y a un cadavre, une brochette de suspects, un détective et une potence. C'est artistique. Le vrai meurtrier n'a rien d'artistique. Je peux vous le dire carrément, moi qui suis une espèce de policier.

Il tapota le dossier sur son bureau :

— Voici un meurtrier réel. Nous connaissons son existence depuis bientôt vingt ans. Nous connaissons un crime qu'il peut avoir commis. Il y en a certainement d'autres que nous, du moins, ne connaissons pas. Cet homme est typique. Un type sordide, commun, couard ; une ordure. Meurtre, espionnage, trafic de drogue, voilà son histoire.

— Tout de même, l'assassinat réclame une certaine forme de courage.

Le colonel eut un rire désagréable :

— Mon cher ami, Dimitrios n'aurait pas joué lui-même du pistolet. Lui et ses pareils ne risquent pas leur peau comme ça. Non, ils restent sur les bords de l'affaire. Ils sont les professionnels, les *entrepreneurs,* les intermédiaires entre les financiers, les politiciens qui veulent la fin et ont peur des moyens, et les fanatiques, les idéalistes qui sont prêts à mourir pour leurs convictions. La question importante, dans un assassinat ou une tentative d'assassinat, n'est pas qui a tiré le coup mais qui a payé la balle. Cela, ce sont les canailles à la Dimitrios qui peuvent vous l'apprendre. Ils sont toujours disposés à parler pour s'épargner les inconvénients de la prison. Dimitrios était comme les autres. Du courage !

Le colonel rit à nouveau.

— Il était peut-être un peu plus intelligent, je vous l'accorde. Pour autant que je le sache, aucun gouvernement ne l'a arrêté et il n'y a pas de photographie dans son dossier. Mais nous le connaissons très bien, de même que Sofia, et Belgrade, et Paris, et Athènes. C'était un grand voyageur.

— Il est mort, à ce qu'il paraît.

— Oui, il est mort.

La bouche mince du colonel grimaça avec mépris.

— Un pêcheur a sorti son cadavre du Bosphore la nuit dernière. On croit qu'il a été poignardé et jeté d'un bateau. Comme l'ordure qu'il était, il flottait sur l'eau.

— Au moins, il est mort par la violence. Cela ressemble à de la justice.

— C'est un romancier qui parle ! Tout doit être net, artistique, comme un *roman policier.*

Il ouvrit la chemise jaune.

— Ecoutez, monsieur Latimer. Vous me direz ensuite si c'est artistique.

Il commença à lire : « Dimitrios Makropoulos... » Il s'arrêta :

— Nous n'avons jamais découvert si c'était le nom de la famille qui l'avait adopté ou un pseudonyme. On le connaissait habituellement comme Dimitrios. Dimitrios Makropoulos, donc, né en 1889 à Larissa, Grèce. Trouvé abandonné. Parents inconnus. Mère supposée roumaine. Enregistré comme sujet grec et adopté par une famille de cette nationalité. Casier judiciaire en Grèce, qui ne nous a pas été communiqué.

Il leva les yeux.

— C'était avant que nous entendions parler de lui.

Nous l'avons repéré pour la première fois à Izmir, autrefois Smyrne, en 1922, quelques jours après l'occupation de la ville par nos troupes. Un *deunmé...*

— Pardon ?

— Un Juif converti à l'islam, nommé Sholem, fut découvert dans sa chambre, la gorge tranchée. C'était un usurier ; il gardait son argent dans une cachette sous le parquet. Les planches avaient été arrachées et l'argent avait disparu. Il y avait trop de violence à Izmir pour que cela émeuve les autorités. Un de nos soldats aurait pu être le coupable. Mais un autre Juif, ami de Sholem, attira l'attention de la justice militaire sur un Noir nommé Dhris Mohammed, qui dépensait de l'argent dans les cafés et se vantait qu'un Juif lui avait fait un prêt sans intérêt. Dhris fut arrêté. Ses réponses devant la Cour martiale furent peu convaincantes et on le condamna à mort. Il fit alors des aveux. Il dit qu'un camarade de travail, emballeur de figues sèches, nommé Dimitrios, lui avait signalé la fortune de Sholem cachée dans la chambre de celui-ci. Ils avaient organisé ensemble le cambriolage et ils étaient entrés la nuit chez le juif. C'était Dimitrios, d'après lui, qui l'avait tué. Il supposait que Dimitrios, citoyen grec, s'était enfui en achetant un passage sur l'un des bateaux de réfugiés qui attendaient en des lieux secrets le long de la côte.

Le colonel haussa les épaules :

— Les autorités ne crurent pas son histoire. Nous étions en guerre avec la Grèce et c'était le genre d'invention qu'aurait faite un coupable pour sauver sa peau. On vérifia cependant qu'il existait un emballeur de figues appelé Dimitrios, que ses camarades le détestaient et qu'il avait disparu.

Haki eut un méchant sourire.

— Une quantité considérable de Grecs nommés Dimitrios disparurent à l'époque. Leurs corps flottaient dans le port et encombraient les rues. L'histoire du nègre était improuvable. Il fut pendu.

Latimer remarqua que le colonel n'avait pas consulté le dossier pendant ce récit :

— Vous avez une excellente mémoire.

— J'étais le président de la Cour martiale. C'est ce qui me permit de situer Dimitrios par la suite. L'année suivante, je fus affecté à la police secrète. En 1924, on découvrit un complot pour assassiner le Gazi. Il venait d'abolir le califat et l'affaire semblait être montée par des fanatiques religieux. En réalité, les instigateurs étaient des agents d'un gouvernement voisin et ami. Ils avaient de bonnes raisons pour souhaiter l'élimination de notre chef Kemal Ataturk. Les péripéties du complot sont sans importance aujourd'hui. Mais l'un des agents qui réussirent à s'enfuir était un certain Dimitrios.

— Etait-ce le même Dimitrios ?

— Le même.

Haki poussa les cigarettes vers Latimer.

— Fumez, je vous en prie. Alors, franchement, trouvez-vous quelque chose d'artistique dans tout ça ? Pourriez-vous en faire un bon *roman policier ?* Y a-t-il quelque chose qui puisse intéresser un romancier ?

— Les questions de police m'intéressent beaucoup, naturellement. Mais qu'est devenu Dimitrios ? Comment a fini l'histoire ?

Le colonel claqua des doigts :

— Celle-là, je l'attendais. Je savais que vous le diriez. Et ma réponse est : ça *n'a pas* fini.

— Enfin, qu'est-il arrivé ?

— Je vais vous le dire. Le premier problème était d'identifier le Dimitrios d'Izmir avec le Dimitrios d'Edirné, Andrinople si vous préférez. Aussi, nous avons ressorti l'affaire de Sholem, lancé un mandat d'arrêt contre un emballeur grec nommé Dimitrios sous l'inculpation de meurtre, et demandé l'assistance des polices étrangères. Nous n'avons pas appris grand-chose, mais le peu que nous avons appris était intéressant. Dimitrios avait trempé dans la tentative d'assassinat du leader bulgare Stamboulitsky, qui avait précédé le *putsch* des officiers macédoniens en 1923. La police de Sofia ignorait à peu près tout, sauf qu'il s'agissait d'un Grec d'Izmir. Une femme avec laquelle il avait eu des relations fut interrogée et dit qu'elle avait récemment reçu une lettre de lui. Il n'avait pas donné d'adresse, mais comme elle avait des raisons urgentes de rester en contact avec lui, elle avait noté que le cachet postal était d'Edirné. Sa description physique concordait avec celle fournie par le Noir d'Izmir. La police grecque signalait un casier judiciaire antérieur à 1922 et donnait ses origines approximatives. Le mandat d'arrêt existe probablement encore ; mais il ne nous a pas permis d'arrêter Dimitrios.

» Ce ne fut que deux ans plus tard que nous avons de nouveau entendu parler de lui. Nous avons reçu un questionnaire du Gouvernement yougoslave concernant un sujet turc nommé Dimitrios Talaat. Il était recherché officiellement pour vol. Un de nos agents à Belgrade nous informa cependant que le vol intéressait la Marine et que les Yougoslaves espéraient porter contre ce Dimitrios une accusation d'espionnage au bénéfice de la France. Le prénom et la description nous ont fait deviner que l'homme en cause était bien celui d'Izmir. Vers la même époque, notre consulat en Suisse renouvela un passeport, issu en apparence d'Ankara, pour un certain Talaat. C'est un nom turc très courant. Mais l'enregistrement au fichier central montra que le passeport était faux. Vous voyez, monsieur Latimer ? Voilà votre histoire. Incomplète. Sans rien d'artistique. Pas de subtilités, pas de suspects, pas de motifs cachés. Tout simplement sordide.

— Intéressante, néanmoins. Qu'est-il arrivé ensuite ?

— Toujours en quête de la fin de l'histoire, hein ? D'accord. Eh bien, rien n'est arrivé. Nous n'avons plus eu de nouvelles de ce Talaat. S'il a utilisé le passeport, nous n'en avons rien su. Aucune importance. Nous avons Dimitrios. Mort, il est vrai ; mais nous l'avons. Nous ne saurons probablement jamais qui l'a tué. La police ordinaire fera son enquête et nous rapportera que l'affaire n'a pas été résolue. Le dossier ira dans les archives, parmi de nombreux cas analogues.

— Vous avez parlé de trafic de drogue.

Le colonel commençait à avoir l'air ennuyé.

— Ah oui ! Dimitrios a gagné pas mal d'argent, à un certain moment. Autre histoire qui n'a pas eu de fin.

Trois ans environ après l'épisode de Belgrade, on nous a signalé la chose. Elle n'avait rien à voir avec notre travail et nous avons ajouté l'information au dossier par routine.

Il consulta le document.

— En 1929, le Comité consultatif sur le trafic illicite des stupéfiants près de la Société des Nations reçut un rapport du Gouvernement français concernant la saisie d'une grosse quantité d'héroïne à la frontière suisse. Elle était cachée dans le matelas d'un wagon-lit venant de Sofia. Un employé fut arrêté, mais tout ce qu'il put ou voulut avouer était qu'un cheminot de la gare de Lyon devait réceptionner la drogue. Il ne savait pas le nom de son complice et ne lui avait jamais parlé. Sa description permit de l'arrêter. Il avoua également mais déclara ignorer la destination du chargement. Il en recevait un chaque mois, qu'un troisième homme emportait. La police ne piégea celui-ci que pour découvrir qu'il y avait un quatrième intermédiaire. Six hommes furent capturés dans cette opération. Le seul indice sérieux fut que le chef de l'organisation était un nommé Dimitrios. A la requête du comité, le Gouvernement bulgare révéla qu'un laboratoire clandestin avait été trouvé à Radomir, avec deux cent trente kilos d'héroïne prête pour l'expédition. Le nom du destinataire était Dimitrios. Les Français saisirent encore un ou deux envois importants au cours de l'année, sans atteindre Dimitrios lui-même. La drogue ne semblait jamais voyager deux fois par la même route. A la fin de 1930, ils n'avaient pas dépassé le niveau des trafiquants et des revendeurs de second ordre. A juger d'après les quantités de drogue, Dimitrios a dû se faire d'énormes profits. Puis, environ un an plus tard, il quitta soudain ce trafic. La police l'apprit par une lettre anonyme, qui livrait les principaux membres de la bande, leur pedigree et les faits permettant de les incriminer. La police française a émis la théorie que Dimitrios était devenu un intoxiqué. Vrai ou non, le gang fut entièrement capturé en décembre. Plusieurs de ses membres annoncèrent qu'ils tueraient Dimitrios à leur sortie de prison. Mais tout ce qu'ils purent apprendre à son sujet fut que le nom de famille était Dimitrios et qu'il habitait dans le XVII^e^ *arrondissement.* On ne trouva pas l'appartement ; ni Dimitrios.

L'employé était entré et attendait à côté du bureau.

— Ah ! dit le colonel, voici votre copie.

Latimer la prit et remercia distraitement :

— C'est la dernière fois que vous avez entendu parler de Dimitrios ?

— Oh non ! L'année suivante, un Croate tenta d'assassiner un politicien yougoslave à Zagreb. Il avoua que le pistolet lui avait été fourni par un homme nommé Dimitrios, à Rome. Si c'était bien lui, il était revenu à son ancienne profession. Sale crapule ! Il devrait en flotter d'autres de ce genre dans le Bosphore.

— Vous dites que vous n'avez pas de photo de lui. Comment l'avez-vous identifié ?

— Il y avait une *carte d'identité* française cousue dans la doublure de son veston. Emise un an plus tôt à Lyon au nom de Dimitrios Makropoulos. Une *carte* de résident étranger. Sans profession. Il y avait naturellement une photo. Nous l'avons retournée aux Français. Ils ont dit qu'elle était authentique.

Haki referma le dossier et se leva.

— Je dois aller jeter un coup d'œil au cadavre à la morgue de la police. Vous n'avez pas à vous soucier de ces choses dans vos livres, monsieur Latimer : les règlements de service. On trouve un homme dans le Bosphore. Une affaire de police. Mais comme cet homme est connu de mon service, nous devons aussi nous en occuper. Ma voiture attend. Puis-je vous reconduire ?

— Si mon hôtel n'est pas trop loin de votre route !

— Avec plaisir. Vous avez l'intrigue de votre prochain livre ? Bien. Allons-y.

Dans la voiture, le colonel s'étendit longuement sur les mérites du *Testament taché de sang.* Latimer promit de le tenir au courant des progrès du livre. Devant l'hôtel, alors qu'ils s'étaient déjà dit au revoir, l'écrivain hésita et se laissa retomber sur la banquette :

— Mon colonel, je voudrais demander quelque chose qui vous semblera bizarre.

— Tout ce que vous voulez.

— J'aimerais voir le corps de Dimitrios. Est-ce possible ?

L'officier fronça les sourcils puis haussa les épaules :

— Venez si ça vous amuse. Mais je ne vois pas...

— Je n'ai jamais vu de cadavre ou de morgue, mentit Latimer. Je pense qu'un auteur de romans policiers doit connaître ça.

Le visage du colonel s'éclaira :

— Bien sûr, mon cher ami. On ne peut pas décrire ce que l'on n'a jamais vu.

Il fit signe au chauffeur.

— Peut-être pourrions-nous introduire une scène se passant à la morgue dans votre nouveau livre ? Je vais y réfléchir.

La morgue était une petite construction de tôle ondulée, dans l'enceinte d'un poste de police près de la mosquée de Nouri Osmanieh. Un policier, qui les avait rejoints *en route,* leur fit traverser une cour au sol de ciment brûlant sous le soleil de l'après-midi. Latimer commençait à souhaiter ne pas être venu. Ce n'était pas un temps à visiter les morgues de tôle ondulée.

Le policier déverrouilla la porte. Un flot d'air torride à odeur de désinfectant les frappa comme à l'ouverture d'un four. Latimer ôta son chapeau et suivit le colonel.

Il n'y avait pas de fenêtres. La seule lumière venait d'une forte lampe dans un réflecteur émaillé. De chaque côté d'une allée centrale s'alignaient quatre tables à tréteaux. Trois d'entre elles étaient recouvertes d'une toile cirée sous laquelle se dessinait une forme allongée. Latimer sentit la sueur mouiller sa chemise et couler le long de ses jambes :

— Il fait très chaud.

— Ils ne se plaignent pas, dit le colonel.

Le policier enleva la toile cirée de la table la plus proche. Le colonel s'approcha et se pencha. Latimer se força à l'imiter.

Le cadavre était celui d'un homme large d'épaules, d'environ cinquante ans. Du bas de la table où il se tenait, Latimer ne distinguait qu'un peu de chair blême et une frange de cheveux gris. Près des pieds s'empilaient des vêtements froissés : des sous-vêtements, une chemise, des chaussettes, une cravate à fleurs, un costume de serge bleue blanchie par l'eau de mer, une paire de chaussures pointues dont les semelles s'étaient déformées en séchant. Il fit un pas pour mieux voir le visage.

Personne n'avait pris la peine de fermer les yeux. Ils fixaient aveuglément la lampe. La mâchoire tombait. Latimer ne s'était pas attendu à ce genre de physionomie : plutôt molle, avec des lèvres épaisses, des joues tombantes et profondément marquées. Un visage travaillé par les tensions émotionnelles. Mais il était trop tard pour en déduire l'esprit qui l'avait autrefois animé.

Le policier parlait au colonel, qui traduisit :

— Tué d'un coup de poignard dans le ventre d'après le médecin légiste. Déjà mort quand on l'a jeté à l'eau.

— D'où proviennent les vêtements ?

— De Lyon. Sauf le costume et les chaussures, fabriqués en Grèce. Très bon marché.

Il reprit sa conversation avec le policier. Latimer contemplait le corps. Ainsi, c'était Dimitrios. L'homme qui avait peut-être égorgé Sholem, le Juif converti. L'homme qui avait trempé dans des assassinats politiques, espionné pour la France. L'homme qui avait dirigé un trafic de stupéfiants, fourni un pistolet au terroriste croate, et qui était finalement mort par la violence. Cette masse de chair blême était la dernière ligne d'une odyssée. Dimitrios avait accompli l'ultime retour au pays dont il était parti tant d'années auparavant.

Tant d'années. L'Europe en peine et en travail avait entrevu un instant une nouvelle gloire, puis était retombée dans les misères de la guerre et de la peur. Des gouvernements avaient connu l'ascension et le déclin. Des hommes et des femmes avaient travaillé, avaient eu faim, avaient fait des discours, avaient combattu, avaient été torturés, étaient morts. L'espoir avait traversé le ciel, porté par les ailes de l'illusion. Les hommes intoxiqués de mots enivrants avaient attendu, impassibles, que les forges tournent les obus de leur destruction. Pendant toutes ces années, Dimitrios avait vécu, avait respiré, avait conclu des pactes avec ses dieux étranges. Il avait été un homme dangereux. Maintenant, dans la solitude de la mort, sa fortune en tas dérisoire à ses pieds, il était pitoyable.

Latimer regarda les deux officiels discuter et remplir la formule que le policier avait sortie. Ils examinèrent les vêtements et en firent l'inventaire.

Dimitrios avait été riche, très riche. Qu'avait-il fait de son argent ? L'avait-il perdu ou dépensé ? « Vite gagné, vite perdu », dit le proverbe. Mais Dimitrios avait-il été homme à laisser partir l'argent, quelle que fût la façon dont il l'avait acquis ? On savait si peu de lui. Quelques faits épars sur quelques incidents isolés de sa vie ! Le dossier disait qu'il était sans scrupules, cruel, traître ; qu'il était un criminel endurci. Il ne disait rien qui permette de comprendre l'homme vivant, qui avait coupé la gorge de Sholem, qui avait vécu à Paris, XVII$^{e}$. Et pour chaque crime enregistré dans le dossier, combien d'autres restaient inconnus ? Que s'était-il passé pendant ces deux ou trois ans entre les étapes de cette carrière sanglante, que la curiosité de la police ignorait avec l'indifférence administrative ? Qu'avait-il fait depuis son départ de Lyon, un an auparavant ? Par quelle route avait-il rejoint son rendez-vous avec la Némésis ?

Ce n'étaient pas des questions que le colonel Haki se souciait de poser, ou de résoudre. Il était un fonctionnaire préoccupé seulement de disposer d'un cadavre en décomposition. Mais il y avait des gens qui savaient ; des amis, si Dimitrios en avait eu, des ennemis, des gens à Smyrne, à Sofia, à Belgrade, à Andrinople, à Paris, à Lyon, partout en Europe, pouvaient répondre à ces questions. Si l'on retrouvait ces gens, on aurait les éléments de la plus étrange des biographies.

Le cœur de Latimer manqua un battement. Quelle idée absurde ! Quel projet délirant ! Si l'on prenait la piste à

Smyrne, il serait possible de la remonter pas à pas, en se guidant d'après le vague dossier. Ce serait vraiment une grande expérience vécue d'enquête criminelle. Même si l'on découvrait peu de chose aujourd'hui, même si l'aventure était un échec, on trouverait certainement des faits captivants. Il serait curieux d'exécuter toute cette routine du détective que l'on imagine si légèrement, si gratuitement en écrivant un livre. Evidemment, aucun homme sensé n'entreprendrait cette chasse au fantôme. Non, grand Dieu ! C'était juste une rêverie amusante, une fantaisie. Avec laquelle on joue parce que l'on est un peu fatigué d'Istanbul...

— Il fait chaud, vous ne trouvez pas ? dit le colonel, qui l'étudiait depuis un moment. Avez-vous vu ce qui vous intéresse ?

Latimer répondit d'un signe de tête.

Haki se retourna vers le cadavre et le regarda comme si c'était un objet qu'il avait fabriqué de ses mains et qu'il vérifiait une dernière fois. Il resta quelques instants immobile. Puis il tendit le bras, saisit la chevelure grise, souleva la tête de façon que les yeux morts plongent dans les siens.

— Un vilain diable, n'est-ce pas ? dit-il. La vie est étrange. Il y a vingt ans que je le connais indirectement et c'est aujourd'hui que je le rencontre face à face. Ces yeux ont vu des choses que je voudrais bien savoir. Dommage que cette bouche ne puisse plus parler.

Il lâcha la tête, qui sonna sur la table avec un bruit sourd. Puis il tira son mouchoir de soie et s'essuya soigneusement les doigts :

— Mieux vaut l'enterrer au plus vite, ajouta-t-il tandis qu'ils s'en allaient.

III

# 1922

Un matin d'août 1922, l'armée nationaliste turque, sous le commandement de Mustapha Kemal Pacha, attaqua le centre de l'armée grecque, à trois cents kilomètres à l'est de Smyrne. Le lendemain, les Grecs étaient battus et reculaient vers la mer. Les jours suivants, la retraite se transforma en déroute. Incapables de détruire les troupes turques, les Grecs tournèrent leur haine sauvage contre la population. Depuis Alashehir jusqu'à Smyrne, ils brûlèrent et massacrèrent ce qui se trouvait sur leur chemin. Pas un village ne resta debout. Les poursuivants turcs trouvaient les corps des paysans parmi les ruines fumantes. Aidés des survivants anatoliens fous de colère, ils se vengèrent sur les Grecs qu'ils purent rejoindre. Mais, le gros de l'armée hellène ayant pu fuir par la mer, leur soif de sang infidèle s'abattit sur Smyrne, qu'ils envahirent le 9 septembre.

Les réfugiés s'y étaient ajoutés à la population grecque et arménienne. Ils espéraient que l'armée grecque s'arrêterait pour défendre la ville. Elle s'était rembarquée. Ils étaient pris au piège. L'holocauste commença.

Les registres de la Ligue de défense des Arméniens d'Asie Mineure furent saisis par les troupes d'occupation. La nuit du 10, une force régulière envahit le quartier arménien pour liquider ceux dont les noms étaient enregistrés. Les Arméniens résistèrent et les Turcs firent amok. Ce premier massacre agit comme un signal. Encouragés par leurs officiers, les soldats turcs s'abattirent sur les quartiers non turcs et tuèrent systématiquement. Arrachés de leurs cachettes, hommes, femmes et enfants furent abattus ; les cadavres mutilés s'entassèrent dans les rues étroites. Les murs des églises, où se réfugiaient les victimes, furent arrosés d'essence et enflammés. Ceux qui n'étaient pas brûlés vifs étaient percés à coups de baïonnette. D'autres maisons furent partout incendiées.

D'abord, on essaya d'isoler les foyers d'incendie. Puis le vent tourna, chassant les flammes loin des quartiers turcs. Bientôt, la ville entière, à l'exception des zones turques et de quelques îlots autour de la gare de Kassamba, fut un brasier. Le massacre se poursuivit avec fureur. Un cordon de troupe rejeta les fugitifs dans les secteurs en feu. Les rues étaient si encombrées de cadavres que, même si les sauveteurs volontaires avaient pu supporter la chaleur et la puanteur, la masse des corps aurait interdit le passage. Smyrne devint un charnier. Beaucoup de réfugiés avaient tenté d'atteindre les bateaux dans le port. Fusillés, noyés, broyés par les hélices, leurs dépouilles flottaient dans l'eau rougie de sang. Mais les quais étaient encore couverts d'une foule qui essayait frénétiquement de fuir les immeubles brûlants qui s'effondraient à quelques mètres des berges. On raconte que leurs cris s'entendaient à un mille au large. *Ghiaour Izmir,* Smyrne l'infidèle, était punie pour ses péchés.

A l'aube du 15 septembre, cent vingt mille humains avaient péri. Quelque part au milieu de cette horreur, Dimitrios avait survécu.

Seize ans plus tard, tandis que le train entrait dans Smyrne, Latimer décida qu'il était un imbécile. Il n'avait pas atteint cette conclusion sans de longues réflexions et elle ne lui faisait pas plaisir. Mais elle était soutenue par deux faits concluants. Un, il aurait pu demander l'aide du colonel Haki pour consulter les archives de la Cour martiale et la confession de Dhris Mohammed ; il n'avait pas trouvé de raison pour oser le faire. Deux, il savait si mal le turc qu'il ne serait pas capable de lire les documents, à supposer qu'il réussisse à se les procurer. Le projet était en soi fantastique et ridicule. S'y être embarqué tête baissée, sans préparation d'aucune sorte, prouvait une véritable idiotie. S'il ne s'était pas retrouvé, moins d'une heure après son arrivée, dans un excellent hôtel, avec une chambre au lit confortable et à la vue délicieuse sur le golfe baigné de soleil et les collines ocre ; si, surtout, l'aimable propriétaire français ne lui avait pas offert un bon martini cocktail, il aurait abandonné son enquête et serait rentré immédiatement à Istanbul. Après tout, Dimitrios ou pas, il pouvait aussi bien se promener à Smyrne, puisqu'il y était ! Il défit une partie de ses bagages.

Ses amis disaient que Latimer avait un caractère tenace. Il était plus exact de dire qu'il ne possédait pas cet esprit compartimenté qui permet de se débarrasser commodément des problèmes en les oubliant. Il pouvait les chasser de sa conscience, mais ils revenaient bientôt le tourmenter. C'était une impression furtive que quelque chose n'allait pas ; une difficulté à se concentrer sur le travail en cours. Il se surprenait à regarder fixement dans le vague et puis, soudain, le problème banni était là. Inutile de raisonner : puisqu'il l'avait créé lui-même, il devait être capable de l'annihiler. Inutile de se démontrer que c'était futile et que la solution n'avait aucune importance. Il ne serait pas tranquille tant qu'il ne l'aurait pas réglé. Le second matin de son séjour à Smyrne, Latimer haussa les épaules avec irritation et demanda au propriétaire de l'hôtel où il pouvait trouver un bon interprète.

Fedor Muichkine était un petit Russe de soixante ans, qui se donnait beaucoup d'importance. Il avait un bureau sur les quais et gagnait sa vie en traduisant des papiers d'affaires ou en servant d'interprète aux officiers de la marine marchande. Il avait été un menchevik et avait fui Odessa en 1919. Aujourd'hui, il affichait ses sympathies pour les Soviets mais, comme le remarquait en riant l'hôtelier, il préférait tout de même ne pas rentrer en URSS. Un farceur, quoi ! Pourtant, il connaissait son métier. C'était l'homme qu'il fallait à Latimer.

Muichkine exprima avec force la même opinion. Il

avait une voix aiguë, une épaisse lèvre inférieure, qui pendait et clapotait en parlant, la manie de se gratter continuellement. Son anglais était bon, quoique entremêlé d'argot à tort et à travers :

— Si je peux faire quelque chose pour vous, je suis le gars pour. Et je me fais payer des clopinettes.

— Je voudrais retrouver la trace, expliqua Latimer, d'un Grec qui est parti d'ici en 1922.

— Un Grec ? 1922 ?

Il gloussa, se passa un doigt sur le cou.

— Il y en a des masses qui sont partis. Comme ça, pfuit ! Ils y ont été salement dur, les Turcs.

— Cet homme a fui en bateau. Il s'appelait Dimitrios. Il était soupçonné d'avoir assassiné un usurier nommé Sholem, avec un Noir, Dhris Mohammed, qui a été jugé par un tribunal militaire et pendu. Je voudrais examiner les archives du jugement, la confession du Noir et l'enquête sur Dimitrios.

Muichkine le regarda avec surprise :

— Dimitrios ?

— Oui.

— 1922 ?

— Vous le connaissez ? demanda Latimer avec un pincement au cœur.

Le Russe sembla près de dire quelque chose, puis changea d'avis. Il secoua la tête :

— Non. Je pensais que c'était un nom très courant. Avez-vous l'autorisation de consulter les archives de la police ?

— J'espérais que vous pourriez me conseiller sur la façon d'obtenir cette autorisation. Je conçois que ce n'est pas votre travail habituel, mais je vous serais reconnaissant de m'aider.

Muichkine se pinça pensivement la lèvre :

— Le vice-consul britannique, peut-être... Excusez-moi, pourquoi vous intéressez-vous à cette vieille histoire ? Je ne vous demande pas ça parce que je ne sais pas m'occuper de mes oignons. Mais la police pourrait me poser la question. Ecoutez, si c'est légal et régulier, j'ai un ami influent qui arrangerait le truc pour des clopinettes.

Latimer se sentit rougir :

— C'est tout à fait légal, je vous assure. Je ne vois aucun empêchement à m'adresser au vice-consul, mais si vous pouviez m'épargner le dérangement, je préférerais.

— Avec plaisir. Je parlerai à mon ami aujourd'hui. La police se sucre, vous savez, et si je passe par elle ça vous coûtera chaud. J'aime protéger mes clients.

— Très aimable à vous.

— Tout naturel.

Un regard lointain passa dans ses yeux mobiles.

— J'aime les Anglais, vous savez. Ils comprennent les affaires. Ils ne marchandent pas comme ces sacrés Grecs. Quand c'est cash, c'est cash. Des arrhes ? O.K. ! Les Anglais sont réguliers. Il y a une confiance mutuelle entre les deux parties. Un gars travaille au poil dans ces conditions. Il sent...

— Combien ? coupa Latimer.

— Cinq cents piastres, dit le Russe avec hésitation. Il avait l'air battu d'avance, comme un artiste mal à l'aise dans les problèmes d'argent.

Cinq cents piastres, calcula Latimer, faisaient moins d'une livre. Bon marché, en effet. Puis il observa une lueur de triomphe dans le regard indécis :

— Deux cent cinquante, dit-il fermement.

Muichkine leva les mains avec désespoir. Il ne s'en sortirait pas à ce prix. Son ami avait beaucoup d'influence.

Ils transigèrent pour trois cents piastres, cent cinquante comptant, dont cinquante pour l'ami influent. Latimer devait revenir le lendemain pour savoir le résultat des négociations. Il revint à l'hôtel par les quais, pas mécontent de sa matinée. Il aurait préféré certes examiner les archives lui-même et surveiller la traduction. Il aurait eu ainsi l'impression d'être un véritable enquêteur, plutôt qu'un touriste curieux. Egalement, il y avait la possibilité que Muichkine soit un escroc. C'était peu probable. Latimer avait un assez bon discernement des caractères et sentait que le Russe était fondamentalement honnête, sinon superficiellement. De plus, le colonel Haki avait fourni assez de renseignements pour permettre de percer une tentative de fraude. Le bureau était fermé quand il revint le lendemain. Il attendit une heure sur le palier crasseux, sans résultat. Une seconde visite n'eut pas plus de succès. Curieux ! Escroquer cinq shillings ne valait pas le dérangement. Sa foi en sa compétence psychologique fut rétablie en trouvant à l'hôtel une longue lettre, expliquant que l'interprète avait été retenu par une enquête de police à propos du meurtre à coup d'anspect d'un docker grec et qu'il s'arracherait les ongles un à un pour avoir causé à M. Latimer un tel ennui, et que l'ami influent avait tout arrangé, et que la traduction serait disponible le jour suivant, et qu'il l'apporterait lui-même.

Muichkine arriva, transpirant, peu avant le dîner. Latimer était en train de siroter un apéritif.

— Quelle journée ! Cette chaleur !

Il se laissa tomber dans un fauteuil avec un énorme soupir d'épuisement.

— Avez-vous la traduction ?

Le Russe fit oui de la tête, les yeux clos. Il tira douloureusement de sa poche un rouleau de papier et le jeta dans les mains de Latimer, l'image même du courrier apportant l'ultime message avant de mourir de fatigue.

— Voulez-vous boire quelque chose ?

Les yeux du coureur de Marathon se rouvrirent :

— Si vous le voulez bien. Une absinthe, s'il vous plaît. *Avec de la glace.*

Le garçon prit la commande. Latimer examina son acquisition : douze grandes pages manuscrites, traduites sans aucun doute d'une source authentique. Il se mit à lire attentivement.

GOUVERNEMENT NATIONAL TURC
Tribunal de l'Indépendance

« Par ordre de l'officier commandant la place d'Izmir, en vertu du décret-loi promulgué à Ankara le dix-huitième jour du sixième mois de l'an 1922 du nouveau calendrier.

Résumé des dépositions recueillies par le président-délégué du Tribunal, le commandant Zia Haki, le sixième jour du dixième mois de l'an 1922 du nouveau calendrier.

Le Juif Zakari a déclaré que le meurtre de son cousin Sholem a été commis par un emballeur de figues, Dhris Mohammed, un nègre de Buja.

La semaine dernière, une patrouille du 60e régiment a découvert le corps de Sholem, *deunmé* usurier, dans sa chambre d'une rue non nommée près de la vieille mosquée. Il avait été égorgé. Bien que cet homme ne fût pas fils de vrais croyants et de bonne réputation, notre police vigilante a ouvert une enquête et constaté que l'argent de l'usurier avait été volé.

Quelques jours plus tard, le plaignant informa le Chef de la police qu'il avait vu dans un café ledit Dhris montrer des poignées d'argent grec. Sachant que celui-ci était pauvre, il s'est étonné. Le nègre s'étant enivré, il s'est vanté que Sholem lui avait prêté cet argent sans intérêt. A l'époque Zakari ignorait que son cousin avait été assassiné. En l'apprenant, il s'est rappelé ce qu'il avait vu et entendu.

Le propriétaire du Bar Cristal, Abdul Hakk, a témoigné que Dhris avait montré plusieurs centaines de drachmes et dit que Sholem les lui avait prêtées sans intérêt. Il a été étonné car Sholem était un homme dur.

Un docker, Ismaïl, a aussi déposé qu'il avait entendu le prisonnier dire ces mêmes paroles.

Interrogé sur la provenance de l'argent, le meurtrier a d'abord nié l'avoir possédé ou avoir jamais vu Sholem. Il a affirmé qu'il était un vrai croyant et que le Juif Zakari le haïssait. Il a dit qu'Abdul Hakk et Ismaïl avaient également menti.

Sous la pression du président-délégué du Tribunal, il a ensuite admis qu'il avait eu cet argent en sa possession et qu'il l'avait reçu de Sholem en paiement d'un service. Mais il n'a su expliquer la nature de ce service et son attitude est devenue étrange et agitée. Il a nié avoir tué Sholem et en a appelé à la justice du vrai Dieu d'une façon blasphématoire.

Le président-délégué l'a condamné alors à la pendaison, les autres membres du Tribunal convenant que c'était bon et juste. »

Latimer était au bas d'une page. Il leva les yeux. Muichkine contemplait son verre vide :

— L'absinthe est très bonne, dit-il. Si rafraîchissante !

— Une autre ?

— S'il vous plaît.

Il sourit et montra les papiers.

— Ça va, n'est-ce pas ?

— Très bien. Mais ils sont un peu vagues sur les dates. Ils n'ont même pas précisé le moment du meurtre. Et les preuves sont fantastiquement faibles. Rien n'a été prouvé.

Muichkine le regarda avec surprise :

— Qu'y avait-il à prouver ? Le nègre était coupable, de toute évidence. Il n'y avait qu'à le pendre.

Le Russe haussa les épaules, s'étala à son aise, fit signe au garçon. Latimer continua sa lecture.

DÉPOSITION FAITE PAR LE MEURTRIER DHRIS MOHAMMED EN PRÉSENCE DE L'OFFICIER COMMANDANT LA CASERNE D'IZMIR ET D'AUTRES TÉMOINS DIGNES DE FOI

« Il est écrit dans le Livre qu'il ne prévaudra pas, celui qui ne dit pas la vérité. J'ai menti pour prouver mon innocence et pour échapper à la potence mais maintenant je dirai la vérité. Je suis un vrai croyant. Il n'y a pas d'autre dieu que Dieu.

Je n'ai pas tué Sholem. Je vous dis que je ne suis pas coupable. Pourquoi ai-je menti ? Oui, je l'expliquerai. Ce n'est pas moi, c'est Dimitrios qui a tué Sholem.

Je vous parlerai de Dimitrios et vous me croirez. Dimitrios est un Grec. Aux Grecs il dit qu'il est un Grec et aux vrais croyants il dit qu'il est un croyant. Il est grec pour les autorités parce que ses parents adoptifs ont signé un papier.

Dimitrios a travaillé avec nous au magasin d'emballage et il a été détesté par presque tous parce qu'il est violent et qu'il a la langue méchante. Je suis un homme qui aime les autres hommes comme des frères et je parlais à Dimitrios pendant le travail et je lui parlais de la religion de Dieu. Et il m'écoutait.

Alors, quand les Grecs se sont enfuis devant les armées victorieuses du vrai Dieu, Dimitrios est venu dans ma maison et il m'a demandé de le cacher de la fureur des Grecs. Il a dit qu'il était un vrai croyant. Je l'ai caché. Alors, notre glorieuse armée est venue à notre aide. Mais Dimitrios ne s'est pas montré parce qu'il était un Grec à cause du papier signé par ses parents adoptifs et qu'il avait peur. Il est resté dans ma maison et quand il sortait il était habillé comme un Turc. Un jour, il m'a dit qu'il y avait un Juif nommé Sholem qui avait beaucoup d'argent, des pièces grecques et de l'or cachés sous le plancher de sa chambre. C'était le temps, a-t-il dit, de nous venger de ceux qui avaient offensé le vrai Dieu et son Prophète. Il n'était pas juste, a-t-il dit, qu'un cochon de Juif possède l'argent qui appartenait aux croyants. Il m'a proposé d'aller secrètement chez le Juif, de l'attacher et de lui prendre son argent.

D'abord j'ai été effrayé, mais il m'a donné du cœur et m'a rappelé que le Livre a dit que quiconque combat pour la religion de Dieu, qu'il périsse ou qu'il soit victorieux, aura une grande récompense. Voici ma récompense : je vais être pendu comme un chien.

Oui, je continue. Cette nuit-là, après le couvre-feu, nous avons été chez Sholem et nous sommes montés sans faire de bruit. Le verrou était poussé. Alors Dimitrios a frappé à la porte et il a dit que c'était une patrouille et le Juif a ouvert. Il grognait qu'il était couché et qu'on l'avait dérangé dans son sommeil. Quand il nous a vus, il en a appelé à Dieu et il a essayé de fermer la porte. Mais Dimitrios l'a saisi et l'a tenu pendant que je cherchais la planche sous laquelle l'argent était caché. Il a tiré le vieil homme jusqu'au lit et l'a maintenu avec son genou.

J'ai bientôt trouvé la cachette et je me suis tourné plein de joie vers Dimitrios. Il me tournait le dos et étouffait les cris de Sholem avec la couverture. Il m'a dit qu'il allait ligoter le Juif avec une corde qu'il avait apportée. Il a tiré son couteau et j'ai cru qu'il allait s'en servir pour couper la corde. Et je n'ai rien dit. Alors, avant que j'aie le temps de parler, il a planté le couteau dans la gorge du vieil homme.

J'ai vu le sang couler comme d'une fontaine et Sholem a roulé par terre. Dimitrios a reculé et il l'a regardé puis il m'a regardé. Je lui ai demandé ce qu'il avait fait et il m'a répondu que c'était nécessaire parce que Sholem nous aurait dénoncés. Après ça, il a pris l'argent.

Il a dit qu'il valait mieux ne pas partir ensemble, qu'il fallait partager l'argent et que chacun prendrait sa part et qu'il irait seul. J'ai accepté. J'avais peur, parce que Dimitrios avait un couteau et que je n'en avais pas et que j'avais peur qu'il me tue aussi. Je lui ai demandé pourquoi il m'avait parlé de cet argent. Il a dit qu'il avait besoin d'un compagnon pour chercher pendant qu'il tiendrait le Juif. Mais j'ai compris qu'il avait toujours voulu tuer Sholem. Pourquoi m'a-t-il fait venir ? Il aurait pu tuer le Juif et garder l'argent et il a souri et il n'a pas essayé de me tuer. Nous sommes partis séparément. Il m'avait dit le jour avant qu'il y avait des bateaux grecs cachés le long de la côte près de Smyrne et qu'il avait entendu dire que les capitaines embarquaient les réfugiés qui pouvaient payer. Je pense qu'il s'est enfui sur un de ces bateaux.

Je vois maintenant que j'ai été plus sot que les plus sots et qu'il avait raison de sourire. Il savait que quand ma bourse se remplit ma tête se vide. Il savait — que la malédiction de Dieu le frappe ! — que quand je pèche en buvant du vin je ne suis plus maître de ma langue. Je n'ai pas tué Sholem. C'est Dimitrios le Grec qui l'a tué. Dimitrios... (Suit un flot d'obscénités impossibles à traduire.) Ce que je dis est véridique. Devant Dieu qui est Dieu et Mohammed son Prophète, je jure que j'ai dit la vérité. Pour l'amour de Dieu, ayez pitié de moi. »

Une note ajoutait que la confession avait été signée de l'empreinte du pouce et confirmée par les témoins. Le rapport continuait :

« Le meurtrier a donné la description suivante de Dimitrios :

" Il a l'air d'un Grec mais je ne crois pas qu'il le soit parce qu'il déteste ses compatriotes. Il est plus petit que moi et ses cheveux sont longs et droits. Son visage est très tranquille et il parle très peu. Ses yeux sont bruns et ont l'air fatigués. Beaucoup d'hommes ont peur de lui et pourtant il n'est pas fort et je pourrais le briser de mes mains. "

" *N. B.* Dhris Mohammed mesure 185 centimètres. "

L'enquête effectuée au magasin d'emballage a établi qu'il existe un nommé Dimitrios. Il est détesté de ses compagnons. On n'a pas entendu parler de lui depuis des semaines et on le croit mort dans l'incendie. Cela semble probable.

Le meurtrier a été exécuté le neuvième jour du dixième mois de l'an 1922 du nouveau calendrier. »

Latimer revint pensivement à la confession. Elle avait l'accent de la vérité. De plus, le Noir était évidemment stupide. Aurait-il pu inventer ces détails de la scène chez Sholem ? Un coupable aurait imaginé une histoire différente. Il y avait par exemple sa peur de Dimitrios. S'il avait tué lui-même, il n'y aurait pas pensé. Le colonel Haki avait dit que c'était le type de conte qu'un meurtrier imagine pour sauver sa peau. Certes, la peur stimule l'imagination la plus fruste, mais pas de cette façon. Les autorités ne s'étaient manifestement pas donné beaucoup de peine. Pourtant, le peu qu'elles avaient vérifié confirmait le récit du Noir. Il n'y avait aucun indice que Dimitrios ait péri dans le sac de la ville. Et il avait été plus expéditif de pendre Dhris Mohammed que de poursuivre, au milieu de la terrible confusion de cet automne, un Grec hypothétique. Dimitrios l'avait naturellement prévu. S'il n'y avait eu le hasard du transfert à la police secrète du colonel Haki, rien ne l'aurait jamais relié à cette insignifiante affaire.

Latimer avait un ami zoologiste, qui avait reconstruit le squelette complet d'un animal préhistorique à partir d'un fragment d'os fossilisé. Le travail avait duré deux ans et l'économiste avait admiré, avec quelque étonnement, l'enthousiasme inépuisable du scientifique. Aujourd'hui, il le comprenait pour la première fois. Il avait déterré un fragment de l'esprit de Dimitrios et il sentait le besoin d'en reconstituer la structure. Ce fossile était petit, mais substantiel. Le malheureux Dhris n'avait pas eu la moindre chance. Dimitrios avait utilisé la simplicité du Noir, son fanatisme religieux, sa cupidité, avec une habileté terrifiante. « Nous avons partagé l'argent et il a souri et il n'a pas essayé de me tuer. » Dhris avait été trop occupé par sa peur d'un homme qu'il aurait pu briser de ses deux mains pour s'interroger sur ce sourire avant qu'il soit trop tard. Les yeux bruns au regard fatigué l'avaient contemplé et parfaitement compris.

Latimer plia les papiers, les mit dans sa poche et dit à Muichkine :

— Je vous dois cent cinquante piastres.

— Juste.

Le Russe finissait sa troisième absinthe, qu'il avait commandée d'autorité. Il prit l'argent et dit gravement :

— Je vous aime bien. Vous n'avez pas de *snobisme*. Je vous offre un verre.

L'écrivain regarda sa montre. Il se faisait tard :

— Volontiers. Mais voulez-vous dîner avec moi d'abord ?

— Bonne idée !

Il s'extirpa laborieusement du fauteuil. Il avait les yeux vagues et brillants...

— Bonne idée !

A sa suggestion, ils allèrent dans un restaurant tout peluche rouge, lumières tamisées, dorures et glaces tachées, où l'on servait de la cuisine française. La salle était pleine d'officiers ; il y avait quelques civils à l'air déplaisant et peu de femmes. Dans un coin, trois hommes exécutaient sans pitié un fox-trot. Un garçon qui paraissait fâché les conduisit à travers l'atmosphère épaisse jusqu'à une banquette à l'odeur de renfermé.

— *Distingué !* commenta Muichkine.

Il saisit le menu et, après réflexion, choisit le plat le plus cher. Le vin de Smyrne était un sirop à goût de résine. Le Russe se mit à raconter sa vie. Odessa, 1918. Istanbul, 1919. Smyrne, 1921. Les bolcheviques. L'armée Wrangel. Kiev. Une femme qu'on surnommait la Bouchère. L'abattoir servait de prison parce que la prison était devenue un abattoir. Horribles atrocités. L'armée des Alliés. Les punaises, le typhus. Les mitrailleuses Vickers. Les Grecs. Les sacrés Grecs ! Les fortunes à prendre. Les kemalistes. Sa voix ronronnait, monotone, tandis que, dehors, le crépuscule violet cédait à la nuit.

Une autre bouteille de vin sirupeux arriva. Latimer avait sommeil.

— Et, au bout de tant de folie, où sommes-nous ?

La lèvre de Muichkine palpitait d'émotion. Il fixait Latimer du regard fixe de l'ivrogne qui en est à la phase philosophique de l'ivresse.

Il frappa la table du poing :

— Où sommes-nous ?

— A Smyrne.

Latimer avait aussi trop bu de vin épais.

— Nous descendrons pas à pas en enfer. Etes-vous marxiste ?

— Non.

Muichkine se pencha et dit confidentiellement :

— Moi non plus.

Il crocha la manche de l'Anglais. Sa lèvre tremblait.

— Je suis un escroc.

— Vraiment ?

— Oui.

Ses yeux se remplirent de larmes.

— Je vous ai volé.

— Ah !

— Vous n'êtes pas snob.

Il fouilla dans sa poche.

— Je vais vous rendre cinquante piastres.

— Pourquoi ?

— Prenez-les.

Les larmes avaient débordé des paupières, coulaient sur les joues épaisses et rejoignaient la sueur qui gouttait à la pointe du menton.

— Je vous ai volé, monsieur. Il n'y avait pas d'ami à payer, pas d'influence, rien.

— Auriez-vous fabriqué ce document vous-même ?

Muichkine se redressa brusquement :

— *Je ne suis pas un faussaire.* Ce type est venu me voir il y a trois mois. En achetant des fonctionnaires, très, très cher, monsieur, il a obtenu l'autorisation d'examiner les archives sur le meurtre de Sholem. Le dossier était en ancienne écriture arabe. Il m'a apporté des photocopies à traduire. Il a repris les photos, mais j'ai gardé un double de la traduction. Vous voyez. Je vous ai volé. Vous avez payé cinquante piastres en trop.

Il claqua les doigts.

— Pouah ! J'aurais pu vous voler cinq cents piastres et vous n'auriez pas refusé. Je suis une lavette.

— Qu'est-ce qu'il cherchait ?

— Je m'occupe de mes oignons.

— A quoi ressemblait-il ?

— A un Français.

— Quel genre de Français ?

Muichkine ne répondit pas. Son visage était livide, et Latimer devina que le bonhomme serait bientôt malade.

— *Je ne suis pas un faussaire,* dit-il faiblement. Trois cents piastres. Des clopinettes. Toujours des clopinettes... *Excusez-moi.*

Il se leva précipitamment et se précipita vers les toilettes. Latimer attendit un bon moment, puis régla l'addition et alla aux nouvelles. Il y avait une seconde issue près des toilettes et le Russe avait disparu.

Rentré à son hôtel, Latimer s'installa sur le balcon de sa chambre. La lune luisait sur la baie, les collines, les bateaux ondulaient imperceptiblement. Un croiseur ancré plus au large balayait la nuit de ses projecteurs. Une douce brise tiède venait de la mer et froissait les feuilles du grand hévéa dans le jardin. Dans une chambre de l'hôtel, une femme eut un rire de gorge. Quelque part, un gramophone jouait trop vite un tango.

Il alluma une dernière cigarette et se demanda ce que l'homme qui ressemblait à un Français avait cherché dans le dossier de Sholem. Finalement, il jeta son mégot et haussa les épaules : ce ne pouvait pas être la piste de feu Dimitrios. L'idée qu'il y avait un autre homme partageant son obsession était encore plus absurde que l'obsession elle-même, ce qui était tout dire.

IV

# M. Peters

Latimer quitta Smyrne deux jours plus tard sans avoir revu Muichkine.

La situation d'un être qui se croit maître de son destin alors que l'entraînent des circonstances indépendantes de son pouvoir est toujours fascinante. C'est d'ailleurs le principal ressort de l'art dramatique. Quand cette situation est la sienne propre et qu'on l'examine rétrospectivement, la fascination devient morbide. En repensant par la suite à ces journées de Smyrne, Latimer était moins épouvanté de son ignorance du rôle qu'il jouait que de la sérénité, de la sécurité qui l'accompagnaient. Il croyait s'avancer les yeux grands ouverts ; il était en fait aveugle. Certes, il n'avait aucun moyen de comprendre ce qui se passait. Il se sentait pourtant humilié d'avoir été transformé, sans le soupçonner un instant, d'observateur détaché en participant actif d'un mélodrame.

Ce fut donc dans la plus tranquille ignorance que, le lendemain du dîner avec Muichkine, il s'installa au jardin pour préciser par écrit son expérience de détective. Le déroulement chronologique des faits était approximativement celui-ci :

| TEMPS | LIEU | REMARQUES | SOURCES |
| --- | --- | --- | --- |
| 1922 (octobre) | Smyrne | Sholem | Archives de la police |
| 1923 (début) | Sofia | Stamboulitsky | Colonel Haki |

| TEMPS | LIEU | REMARQUES | SOURCES |
| --- | --- | --- | --- |
| 1924 | Andrinople | Att. Kemal | — |
| 1926 | Belgrade | Espionnage | — |
| | | pour la France | — |
| 1926 | Suisse | Pass. Talaat | — |
| 1929-1931 (?) | Paris | Drogue | — |
| 1932 | Zagreb | Ass. croate | — |
| 1937 | Lyon | *Carte d'identité* | — |
| 1938 | Istanbul | Assassiné | — |

Le problème immédiat était clair. Dans les six mois suivant le meurtre de Sholem, Dimitrios avait fui de Smyrne, s'était rendu à Sofia et avait trempé dans un complot pour assassiner le premier ministre bulgare. Latimer ne savait pas ce que peut durer la préparation d'un complot, mais il estimait que Dimitrios avait dû arriver en Bulgarie peu après son départ de Turquie. S'il avait pris un bateau grec, il était certainement passé par Le Pirée et Athènes.

La démarche logique consistait donc à retrouver la piste à Athènes. Ce ne serait pas facile. Même si les autorités avaient essayé d'enregistrer tous les réfugiés, leurs archives étaient sûrement incomplètes, si elles existaient encore. Mais inutile de se considérer battu d'avance ! Il avait de bons amis en Grèce et il parviendrait certainement à consulter les archives.

Il ferma son carnet et alla se renseigner auprès de l'aimable patron d'hôtel. Il y avait le lendemain un départ du bateau hebdomadaire pour Le Pirée.

Durant les mois suivant l'occupation de Smyrne par les Turcs, quelque huit cent mille Grecs d'Asie Mineure regagnèrent leur patrie. Ils arrivaient, bateau après bateau, entassés sur le pont et dans les cales, la plupart en haillons, mourant de faim ; certains portant encore les enfants morts qu'ils n'avaient pas eu le temps d'enterrer. Avec eux venaient le typhus et la variole.

Epuisée par la guerre, ruinée, manquant de vivres et de médicaments, la mère patrie improvisa en hâte des camps où ils mouraient comme des mouches. Autour d'Athènes, sur Le Pirée, à Salonique, des masses humaines pourrissaient dans le froid de l'hiver. Alors, la quatrième session de la Société des Nations, à Genève, vota un crédit de cent mille francs-or à l'Organisation Nansen de secours. Le sauvetage commença. Des baraquements s'élevèrent ; des vivres, des vêtements, des médicaments furent fournis. Les épidémies furent enrayées. Les survivants se groupèrent en communautés. Pour la première fois dans l'histoire, un désastre à grande échelle fut maîtrisé par la bonne volonté et la raison. Il semblait que l'animal humain avait enfin découvert la conscience de son humanité.

Cela et bien d'autres choses, Latimer l'apprit de son ami Siantos à Athènes. Mais quand il parla de son enquête, le Grec fit la moue :

— Le registre complet des réfugiés ! Eh bien ! Si vous les aviez vus arriver...

Puis la question inévitable :

— Pourquoi diable vous intéressez-vous à ça ?

Comme ce n'était pas la première fois ni la dernière qu'elle était posée, Latimer avait préparé une explication. Dire honnêtement la vérité, qu'il cherchait par curiosité abstraite à retracer la carrière d'un criminel, était pratiquement impossible. D'autre part, il n'avait pas envie de s'entendre confirmer que ses chances de succès étaient minces. Sa propre opinion sur le sujet était déjà assez déprimante. Ce qui lui avait paru si passionnant dans une morgue turque, un peu ivre d'un repas bien arrosé et de soleil, était nettement absurde à jeun et dans l'automne frais d'Athènes. Autant éviter de se frotter le nez à cette sottise.

— C'est pour mon prochain roman, dit-il. Je veux voir s'il est oui ou non possible de trouver la trace d'un réfugié après plus de quinze ans.

— Je comprends, dit Siantos.

Latimer sourit mentalement : l'avantage du métier d'écrivain est qu'il autorise les pires extravagances.

Il avait choisi Siantos parmi ses autres amis parce que celui-ci était un haut fonctionnaire. Il lui fallut cependant attendre une semaine pour apprendre qu'il y avait en effet un registre. Et une autre semaine pour obtenir des autorités responsables la permission de le consulter. Une semaine de palabres dans quelque *kafenios* avec des fonctionnaires de toute sorte, mais également assoiffés, qui avaient des relations. Finalement, il put se présenter aux Archives municipales, muni des papiers nécessaires.

Le Bureau des recherches était une pièce nue, avec un comptoir à une extrémité et, derrière le comptoir, un fonctionnaire du meilleur cru. Il écouta l'écrivain et haussa les épaules. Un emballeur de figues sèches nommé Dimitrios ? Octobre 1922 ? Mais, mon cher monsieur, les registres ont été évidemment établis par ordre alphabétique des noms de famille. Que voulez-vous faire d'un prénom ? Soyons sérieux.

Latimer soupira. Un mois de perdu ! Il remercia et se dirigea vers la porte. Soudain, il eut une idée de pure inspiration : le nom de famille pourrait être Makropoulos.

Tandis qu'il guettait le visage de l'employé, il eut vaguement conscience que quelqu'un était entré dans le bureau et s'était arrêté derrière lui. Une ombre déformée glissa sur le carrelage lorsque le nouvel arrivant passa devant la fenêtre.

— Dimitrios Makropoulos, répéta le fonctionnaire. Voilà qui est mieux. Si ce nom existe sur nos fiches, nous le trouverons. C'est une question de patience et d'organisation. Suivez-moi, s'il vous plaît.

Il ouvrit une porte dans le comptoir, regardant par-dessus l'épaule de Latimer :

— Parti ! Je suis seul pour assurer la marche du service, tout le fardeau retombe sur mes épaules. Et pourtant les gens n'ont pas de patience. Je suis occupé : ils partent. Tant pis, c'est leur affaire. Moi, je fais mon travail.

Latimer le suivit au sous-sol où, dans une vaste pièce voûtée, s'alignaient des rangées de classeurs métalliques.

— L'organisation, commenta le fonctionnaire, est le secret de la vie moderne. L'organisation nous rendra un grand pays. Un nouvel empire grec. Mais il faut de la patience.

Il consulta un fichier avec soin et lenteur.

— Tiroir numéro seize.

Il n'y avait pas de Dimitrios Makropoulos dans le tiroir numéro seize. L'employé fit un geste d'impuissance. Une autre inspiration vint à Latimer :

— Voudriez-vous essayer le nom : Talaat.

— Mais c'est un nom turc.

— Je sais. Voulez-vous vérifier tout de même ?

Le fonctionnaire retourna au fichier :

— Tiroir numéro vingt-sept. Etes-vous sûr que cet homme a débarqué à Athènes ? Beaucoup de réfugiés sont arrivés à Salonique.

Comme c'était justement ce qui inquiétait Latimer, il ne répondit pas et regarda les doigts du Grec courir dans les fiches. Ils s'arrêtèrent soudain.

— Avez-vous trouvé ?

— Tiens ! Voici un emballeur de figues qui se prénomme Dimitrios. Mais le nom de famille est Tala*dis.*

— Faites-moi voir.

L'écrivain prit le rectangle de bristol. Là, noir sur blanc, il y avait des informations que le colonel Haki ignorait. Il leva les yeux vers le fonctionnaire rayonnant :

— Puis-je le recopier ?

— Bien sûr. Mon service est à l'entière disposition des personnes autorisées. Mais je ne dois pas perdre mes documents de vue. C'est le règlement.

Sous le regard un peu surpris de l'apôtre de l'organisation et de la patience, Latimer transcrivit et traduisit le contenu de la fiche.

N° T. 54 462

ORGANISME NATIONAL DE SECOURS
Section : Athènes

| | |
|---|---|
| *Sexe* | Masculin. |
| *Nom* | Dimitrios Taladis. |
| *Né* | Salonique, 1889. |
| *Profession* | Emballeur de figues. |
| *Parents* | Présumés décédés. |

| | |
|---|---|
| *Passeport ou papiers d'identité* | Carte d'identité perdue. Dite avoir été délivrée à Smyrne. |
| *Nationalité* | Grecque. |
| *Arrivée* | 1er octobre 1922. |
| *Venant de* | Smyrne. |
| | Etat général satisfaisant. Pas de maladie. Sans ressources. |
| | Dirigé sur le camp de Tabouria. |
| | Reçu papiers d'identité provisoires. |
| *Note* | A quitté Tabouria de sa propre initiative, le 29 novembre 1922. Un mandat d'arrêt a été lancé contre lui le 30 novembre 1922 à Athènes, pour vol et tentative de meurtre. Présumé enfui par mer. |

Oui, c'était du Dimitrios tout pur. La date de naissance coïncidait avec les informations du colonel. Mais non le lieu de naissance. Pourquoi avait-il changé Larissa en Salonique ? Eh, voyons ! En 1889, Salonique était encore en territoire turc. L'état civil de l'Empire ottoman n'était certainement pas accessible aux Grecs. Dimitrios n'était pas fou. Pourquoi n'avait-il pas également choisi un nom typiquement grec ? « Talaat » devait avoir quelque sens spécial pour lui. « Makropoulos » était en tout cas à abandonner, puisqu'il était déjà connu de la police grecque. La date d'arrivée cadrait avec les vagues indications de la Cour martiale. A la différence de ses compagnons d'exil, il était en bonne santé. L'argent de Sholem lui avait procuré un voyage relativement confortable au lieu d'être transporté comme du bétail. Il n'avait pas manqué de déclarer qu'il était sans ressources. Sinon, il aurait peut-être dû nourrir des imbéciles qui n'avaient pas su prévoir l'avenir. Et il n'avait même pas assez de capital pour ses projets, puisqu'il avait fallu l'apport d'un autre Sholem.

Probablement, oui, il s'était enfui par mer. Ce devait être plus facile d'entrer en Bulgarie par Bourgaz que par la frontière, avec des papiers provisoires.

La patience tant vantée du fonctionnaire s'épuisait visiblement. Latimer lui rendit la carte avec les remerciements convenables et rentra pensif à son hôtel.

Il se sentait content de lui. Il avait remonté une nouvelle étape de la piste sans la moindre aide extérieure. De la simple routine, sans plus ; mais dans la meilleure tradition de Scotland Yard. Il aurait aimé faire part de son succès au colonel Haki. Non, l'officier ne comprendrait pas l'esprit dans lequel était faite cette enquête. Et Dimitrios était maintenant enterré en un coin de cimetière, comme son dossier dans les archives de la police turque.

Il ne lui restait qu'à se rendre à Sofia, et voir s'il marquerait un nouveau point. Ses souvenirs de la politique bulgare d'après-guerre étaient plutôt vagues. En 1923, Stamboulitsky avait été chef d'un gouvernement de tendances libérales ; libérales dans quelle mesure, il n'en avait aucune idée. On avait tenté de l'assassiner ; ensuite, un *coup d'Etat* militaire avait été inspiré, pour ne pas dire plus, par l'IMRO, l'Organisation internationale révolutionnaire macédonienne. Stamboulitsky s'était enfui de Sofia, avait tenté de soulever une contre-révolution et avait été tué. Telles étaient les grandes lignes de l'affaire. Qui avait raison, qui avait tort (si cette distinction avait un sens), quelle était la nature des forces en présence, il n'en savait rien. Il l'apprendrait sur place.

Le soir, il invita Siantos à dîner. Le Grec était un homme vaniteux et généreux, qui adorait discuter les problèmes de ses nombreux amis et dépenser pour eux le crédit de sa position officielle. Latimer le remercia de son aide et entama le sujet de Sofia :

— Je vais encore abuser de votre bonté, mon cher Siantos.

— Tant mieux.

— Avez-vous des relations à Sofia ? Je voudrais une lettre d'introduction auprès d'un journaliste intelligent, qui pourrait m'expliquer la politique bulgare de 1923. L'aspect confidentiel, vous voyez ?

Siantos lissa sa chevelure blanche et brillante en souriant avec admiration :

— Vous avez des goûts à part, vous autres écrivains. Je peux arranger ça. Voulez-vous un Grec ou un Bulgare ?

— Un Grec de préférence. Je ne parle pas le bulgare.

Siantos réfléchit un moment :

— Il y a un certain Maroukakis. Il est correspondant d'une agence de presse française. Je ne le connais pas personnellement mais je pourrais vous obtenir une lettre d'un de mes amis.

Il baissa le ton et regarda furtivement autour de lui.

— Seulement, il y a un ennui.

Il se pencha à l'oreille de Latimer, qui s'attendait à apprendre une tare au moins aussi grave que la lèpre.

— Maroukakis a des opinions communistes.

Latimer leva les sourcils :

— Et alors ? Tous les communistes que j'ai rencontrés étaient très intelligents.

Siantos eut l'air choqué :

— Allons donc ! Il est dangereux de dire ça, mon ami. Le marxisme est interdit en Grèce.

— Quand puis-je avoir la lettre ?

— Bizarre !

Siantos soupira.

— Vous l'aurez demain. Vous, les écrivains !...

La lettre fut obtenue après une petite semaine. Latimer se procura un visa grec de sortie, un visa bulgare d'entrée, et loua sa place dans le train de nuit.

Il y avait peu de monde. L'écrivain espérait avoir pour lui seul le compartiment de wagon-lit. Cinq minutes avant le départ, des bagages furent déposés sur la couchette libre, bientôt suivis par leur propriétaire :

— Excusez-moi de vous déranger, je vous prie, dit-il en anglais.

C'était un homme d'environ cinquante-cinq ans, gras, d'aspect malsain. Il se tourna pour donner un pourboire au porteur et Latimer remarqua que son fond de culotte pendait absurdement, le faisant ressembler de dos à un derrière d'éléphant. Puis il le vit de face et oublia les pantalons. Le visage était bouffi, informe ; celui d'un homme qui mange trop et ne dort pas assez. Au-dessus de poches pendantes, les petits yeux bleus injectés de sang semblaient larmoyer continuellement. Le nez était gros et spongieux. C'était la bouche qui donnait l'expression : les lèvres, serrées sur des fausses dents artificiellement blanches et régulières, étaient fixées en un sourire suave. En conjonction avec les yeux humides, elle suggérait une douce patience dans l'adversité. Voici, disait-elle, un être qui a souffert, qui a subi comme aucun autre les coups du Destin, et qui n'a pourtant pas perdu son humble foi en la bonté essentielle de l'Homme. Voici un martyr qui a souri au milieu des flammes, pleurant non sur lui-même mais sur les misères d'autrui. Il rappelait à Latimer un prêtre anglican qu'il avait connu autrefois, défroqué après avoir détourné les fonds de la paroisse.

— La place était libre, dit Latimer. Vous ne me dérangez pas.

Il remarqua avec résignation que le gros homme respirait lourdement. Sûrement, il ronflerait. Il se laissa tomber sur la couchette et hocha lentement la tête :

— Vous êtes très aimable. Il y a si peu de gentillesse dans le monde où nous vivons ! Si peu de considération pour les autres ! Puis-je vous demander où vous allez ?

— Sofia.

— Sofia ? Une si belle ville ! Je vais jusqu'à Bucarest. J'espère que nous aurons ensemble un voyage agréable.

Latimer dit qu'il l'espérait. L'anglais du gros homme était excellent mais il avait un accent atroce que l'écrivain n'arrivait pas à situer ; épais, guttural, comme s'il parlait la bouche pleine. A l'occasion, l'anglais se disloquait au milieu d'une phrase difficile et cédait la place à un français ou à un allemand remarquables.

L'homme sortit d'un attaché-case un pyjama de laine et un livre écorné. Latimer réussit à voir le titre : *les Perles de la sagesse quotidienne*, en français. Il s'installa et tendit à l'Anglais un paquet de minces cigares grecs :

— Me permettez-vous de fumer ?

— Je vous en prie. Je n'ai pas envie de fumer pour le moment, merci.

Le train était déjà hors d'Athènes et l'intendant vint préparer les couchettes. Latimer se déshabilla à moitié et s'étendit. Le gros homme prit son livre, puis le reposa :

— Vous savez, dès que j'ai su qu'il y avait un Anglais à bord du train, je me suis dit que j'allais faire un voyage agréable.

— C'est bien aimable à vous.

— Oh non ! C'est ce que je pense sincèrement.

Il se tamponna les yeux avec un mouchoir douteux.

— J'ai tort de fumer. J'ai les yeux faibles. L'Etre suprême a décidé dans Sa sagesse infinie qu'il en serait ainsi. Peut-être afin que je sache mieux apprécier les beautés de Sa création, Mère Nature et son exquise parure, les arbres, les fleurs, les nuages, le ciel, les montagnes coiffées de neige, les paysages merveilleux, le coucher du soleil et sa glorieuse magnificence.

— Vous devriez porter des lunettes.

— Si j'en avais besoin, l'Etre suprême me le ferait sentir.

Il se pencha avec une intensité fervente vers Latimer :

— Ne sentez-vous pas, ami, que, quelque part au-dessus de nous, il y a un Pouvoir, une Destinée, qui nous inspire nos actes ?

— C'est une vaste question.

— Seulement parce que nous ne sommes pas assez simples, pas assez humbles pour le comprendre. Un homme n'a pas besoin de beaucoup étudier pour être philosophe. Il lui suffit d'être simple et humble.

Il regarda l'écrivain simplement et humblement.

— Vivre et laisser vivre, c'est le secret du bonheur. Ne cherchons pas à répondre aux questions qui dépassent notre pauvre entendement. Nous ne pouvons lutter contre notre Destinée. Si l'Etre suprême veut que nous fassions des choses déplaisantes, il a un but, même si ce but nous est incompréhensible. S'il veut que certains deviennent riches et d'autres pauvres, que Sa volonté soit faite.

Il rota discrètement et considéra la valise de Latimer avec un sourire tendrement malicieux :

— L'homme ressemble à une valise. Pendant son voyage à travers la Vie, il recueille comme elle des étiquettes colorées. Mais c'est l'intérieur qui compte. Si souvent, si souvent hélas ! la valise est vide des Choses de Beauté. N'êtes-vous pas d'accord ?

C'était à en avoir la nausée. Latimer grogna et tenta de changer la conversation :

— Vous parlez un très bon anglais.

— L'anglais est la plus belle des langues, à mon avis. Vous avez de grands écrivains : Shakespeare, Wells. Mais je ne peux pas exprimer toutes mes idées en anglais. Je suis plus à l'aise en français, comme vous avez pu le remarquer.

— Quelle est votre langue maternelle ?

Le gros homme écarta de grandes mains molles :

— Je suis un citoyen du monde. Pour moi, tous les pays, tous les langages sont beaux. Si seulement les hommes vivaient comme des frères, sans haine, ne voyant que les beaux aspects des choses. Mais non ! Il y a toujours des communistes, etc. C'est sans doute la volonté de l'Etre suprême.

— Je vais dormir maintenant, dit Latimer.

— Dormir ! La grande consolation accordée à nous, pauvres humains. Je m'appelle Peters, ajouta-t-il.

— J'ai eu plaisir à vous rencontrer, monsieur Peters, dit Latimer fermement. Nous arrivons à Sofia très tôt. Je ne me déshabille pas.

Il éteignit la lampe principale, laissant allumées la veilleuse bleue et les lampes individuelles. Il s'enroula dans une couverture. M. Peters observait ces préparatifs en un silence boudeur. Puis il se déshabilla, gardant adroitement son équilibre malgré le balancement du train. Il passa son pyjama, resta un moment allongé, respirant avec bruit ; enfin, se tourna sur le côté et se mit à lire. Latimer éteignit sa lampe et s'endormit immédiatement.

A l'aube, il fut éveillé par l'intendant qui venait chercher son passeport. Celui de M. Peters avait déjà été contrôlé par les fonctionnaires grec et bulgare qui attendaient dans le couloir ; il n'eut pas l'occasion de vérifier la nationalité du citoyen du monde. Un douanier glissa la tête, regarda les bagages et se retira. Le train repartit. Latimer, somnolent, vit l'intervalle entre les rideaux devenir bleu sombre, puis gris. A l'approche de Sofia, il se prépara discrètement. M. Peters avait les yeux fermés.

Quand il tira la porte du compartiment, le gros homme s'agita et ouvrit les yeux :

— Navré de vous avoir dérangé, dit Latimer.

— Je ne dormais pas, dit M. Peters avec un sourire clownesque. Je voulais vous signaler que le meilleur hôtel de séjour est le Slavianska Besseda.

— Merci, j'ai retenu une chambre depuis Athènes au Grand Palace. Vous le connaissez ?

— Oui, il est très bien.

Le train freinait.

— Au revoir, monsieur Latimer.

— Au revoir.

Dans sa hâte de prendre un bain et un solide déjeuner, il ne vint pas à l'idée de Latimer de se demander comment M. Peters avait découvert son nom.

## V

# 1923

Son expédition à Sofia, réfléchissait Latimer, se présentait mal. A Smyrne et à Athènes, il lui avait suffi d'arriver aux archives officielles. N'importe quel policier privé en aurait fait autant. Ici, c'était différent. Dimitrios avait bien une fiche à la police mais, selon le colonel Haki, celle-ci ne savait pas grand-chose. Elle n'avait pas accordé beaucoup d'importance à cet homme de main, puisqu'elle avait attendu la demande d'enquête turque pour interroger la femme qui le connaissait. Et, manifestement, c'était ce que la police ignorait qui était le plus intéressant. Comme disait le colonel, le facteur capital dans un assassinat est moins : qui a tiré le coup de feu ? que : qui a payé la balle ? Or, la police ordinaire s'occupe davantage du premier point que du second.

Il fallait d'abord trouver celui qui avait intérêt à la disparition de Stamboulitsky. Sans cette information de base, il était oiseux de spéculer sur le rôle de Dimitrios. Que l'information ne soit ensuite utilisable que pour un pamphlet communiste était un problème qu'il écartait pour le moment. Il s'était attaché à son expérience et ne l'abandonnerait pas facilement : si elle devait mourir un jour, il vendrait chèrement sa peau.

L'après-midi de l'arrivée, il alla voir Maroukakis au bureau de l'agence de presse française et présenta sa lettre d'introduction. Le Grec était un homme d'une quarantaine d'années, mince et très brun, avec des yeux globuleux et le tic de refermer étroitement la bouche à la fin des phrases, comme stupéfait de sa propre indiscrétion. Il accueillit Latimer avec la courtoisie vigilante d'un négociateur pendant une suspension d'armes. Il parlait français :

— Que désirez-vous savoir, monsieur ?

— Tout ce que vous pouvez m'apprendre sur l'affaire Stamboulitsky de 1923.

— C'est bien vieux, ça ! Il faudra que je me rafraîchisse la mémoire. Non, ce n'est pas un dérangement. Donnez-moi seulement une heure.

— Je serais heureux que nous dînions ensemble à mon hôtel ce soir.

— Où êtes-vous descendu ?

— Au Grand Palace.

— Je connais un endroit où nous mangerons dix fois mieux pour dix fois moins cher. Je passerai vous prendre à huit heures. D'accord ?

— Certainement.

— A huit heures, alors. *Au 'voir.*

Il arriva ponctuellement et ils marchèrent en silence, par le boulevard Maria-Louise et la rue Alabinska, jusqu'à une petite rue où une boutique d'épicier était éclairée. Maroukakis eut soudain l'air gêné :

— L'endroit ne paie pas de mine, mais la nourriture est bonne. Voulez-vous que nous allions dans un restaurant plus reluisant ?

— A aucun prix.

— Je préfère vous l'avoir demandé, dit Maroukakis soulagé, en poussant la porte ; une clochette tinta.

Le magasin était encombré à presque barrer le passage de sacs et de boîtes. Des étagères de sapin pliaient sous les bouteilles et des produits étranges. Des charcuteries de toutes tailles et couleurs pendaient comme des fruits tropicaux. A côté d'une balance romaine, une grosse femme allaitait un bébé. Elle sourit et dit quelque chose. Maroukakis répondit, fraya un chemin entre des concombres au sel et des fromages de chèvre, suivit un corridor et conduisit enfin Latimer dans une petite pièce où, par miracle, tenaient cinq tables. Deux étaient occupées par des dîneurs qui avalaient bruyamment leur soupe. Ils s'assirent ; un homme moustachu, en tablier vert et manches de chemise, entreprit un discours volubile :

— Je vous laisse le soin de commander, dit Latimer.

Maroukakis s'expliqua en bulgare. L'homme frisa sa moustache, cria dans une ouverture du mur, revint avec une bouteille et trois verres.

— J'espère que vous aimez la vodka ?

— Beaucoup.

L'homme emplit les verres, fit un signe de tête à Latimer, se jeta l'alcool dans la gorge et s'éloigna.

— *A votre santé,* dit le Grec.

Une fois les verres reposés :

— Maintenant que nous avons bu ensemble et que nous sommes camarades, je serai franc.

Tout à coup, il parut se fâcher.

— Je ne peux pas supporter qu'on ne soit pas franc avec moi. Je suis grec et les Grecs flairent le mensonge. C'est pour ça qu'ils réussissent si bien dans les affaires en France et en Angleterre. Dès que j'ai lu cette lettre que vous m'avez apportée, j'ai senti le mensonge. Plus qu'un mensonge. Une insulte à l'intelligence. Comment osez-vous dire que l'information que vous cherchez doit servir à un *roman policier ?* Vous me prenez pour un imbécile.

— Je regrette, dit Latimer, mal à l'aise. La véritable raison est si invraisemblable que je n'ose justement pas l'avouer.

— La dernière personne à qui j'ai donné des informations de cette façon écrivait un guide de la politique européenne. Un guide *à l'américaine.* J'ai été malade pendant huit jours quand je l'ai lu. Je respecte les faits. Ce livre me faisait positivement mal.

— Je n'écris pas en ce moment.

Maroukakis sourit :

— Faisons un marché. Je vous donnerai les informations et vous me direz cette raison invraisemblable. Entendu ?

— Entendu.

La soupe arriva, épaisse, épicée, liée à la crème aigre, délicieuse. Maroukakis s'accouda et parla sans perdre une bouchée :

— Dans une civilisation mourante, le prestige politique n'appartient pas au profond diagnosticien mais à l'habile charlatan. C'est la distinction accordée à la médiocrité par l'ignorance. Il reste cependant un prestige d'une dignité pathétique : celui du leader libéral d'un parti d'extrémistes en conflit. Sa dignité est celle des hommes condamnés. Car, que les deux extrêmes s'entre-détruisent ou que l'un l'emporte, il est voué soit à la haine du peuple, soit au martyre.

» Ce fut le sort de Stamboulitsky, chef du Parti agrarien bulgare, Premier ministre et ministre des Affaires étrangères. Face à la réaction fortement organisée, le Parti agrarien était paralysé par ses divisions internes. Il mourut sans tirer une seule balle pour se défendre.

» Sa fin se produisit peu après le retour de Stamboulitsky de la Conférence de Lausanne, en janvier 1923. Le 23 janvier, le Gouvernement yougoslave protesta officiellement contre les raids armés de *comitadji* bulgares à la frontière. Le 5 février, pendant une représentation célébrant la fondation du Théâtre national de Sofia, en présence du roi, des princesses et des ministres, une bombe fut jetée dans une loge où étaient plusieurs de ceux-ci. Il y eut des blessés. On savait quels étaient les auteurs et quels étaient les motifs de l'attentat.

» La politique de Stamboulitsky à l'égard de la Yougoslavie était axée vers la conciliation. Les relations entre les deux pays s'amélioraient rapidement. Mais les autonomistes macédoniens, représentés par le Comité révolutionnaire macédonien, plus tard l'IMRO, qui opéraient en Bulgarie et en Yougoslavie, étaient opposés à la politique d'apaisement. Ils craignaient que les deux nations se s'entendent pour les détruire. Ils se mirent à détériorer systématiquement la situation et éliminer leur ennemi Stamboulitsky. Les attaques des *comitadji* et l'attentat du théâtre inaugurèrent une période de terrorisme organisé.

» Le 8 mars, Stamboulitsky joua son atout, en annonçant que le Narodno Sobranié serait dissous le 13 et que de nouvelles élections auraient lieu en avril.

» C'était un désastre pour les réactionnaires. La Bulgarie prospérait sous le gouvernement agrarien. Les paysans étaient tous derrière Stamboulitsky. Une élection renforcerait son pouvoir. Les fonds des révolutionnaires macédoniens furent soudainement accrus.

» Un autre attentat eut lieu contre Stamboulitsky et le ministre des Transports, Atanassoff, à Haskovo, sur la frontière de Thrace. Il ne fut empêché qu'au dernier moment. Divers chefs de la police, responsables de la répression contre les *comitadji*, dont le préfet Petrich, furent menacés de mort. Cette situation obligea à retarder les élections.

» Le 4 juin, la police de Sofia découvrit un complot visant à supprimer non seulement Stamboulitsky, mais aussi Muravieff, le ministre de la Guerre, et Stoyanoff, le ministre de l'Intérieur. Un jeune officier, chargé de tuer ce dernier, fut abattu lors d'un échange de coups de feu. D'autres officiers révolutionnaires, que l'on savait arrivés clandestinement à Sofia, étaient recherchés.

» La police perdait le contrôle des événements. C'était le moment d'agir pour le Parti agrarien, avec le soutien des paysans armés. Il ne le fit pas. Les dirigeants croyaient que l'ennemi n'était que le Comité révolutionnaire, une petite bande de terroristes incapables de s'opposer aux votes de la majorité paysanne. Ils ne voyaient pas que le comité n'était qu'un écran de fumée, derrière lequel les réactionnaires dissimulaient leurs manœuvres. Ils ne tardèrent pas à payer leur aveuglement.

» Tout était calme le 8 juin, à minuit. A quatre heures du matin le 9, tous les membres du Cabinet Stamboulitsky, sauf lui, étaient emprisonnés. La loi martiale était déclarée. Les chefs du *coup d'Etat*, les réactionnaires Zankoff et Rouseff, n'avaient jamais été soupçonnés de collusion avec le Comité macédonien.

» Stamboulitsky essaya trop tard de rallier les paysans.

Il fut cerné dans une maison de campagne, capturé et bientôt abattu, en des circonstances qui n'ont pas été éclaircies.

Latimer buvait sa troisième tasse de thé quand le Grec se tut. Il avait eu quelque peine à dégager les faits de leur interprétation idéologique, que Maroukakis avait tendance à confondre. Après un silence, il demanda :

— Savez-vous qui a fourni l'argent au comité ?

— Il y a eu des rumeurs et des explications diverses. La plus raisonnable, la seule aussi que j'aie pu vérifier, est que les fonds ont été avancés par la banque du comité, le Crédit Eurasien.

— Vous voulez dire que la banque agissait pour le compte d'une tierce partie ?

— Non. Elle agissait pour son propre compte. J'ai découvert qu'elle avait beaucoup souffert de la réévaluation du *lev* réussie par le gouvernement Stamboulitsky. Au début de 1923, avant les troubles, le *lev* avait doublé de valeur en deux mois. Il avait passé environ de huit cents à quatre cents pour une livre. Ceux qui spéculaient sur la dévaluation subissaient des pertes sévères. Le Crédit Eurasien n'était pas, et n'est toujours pas, la sorte de banque qui accepte de perdre.

— Quelle sorte de banque est-ce ?

— Son siège est à Monaco, c'est-à-dire qu'elle ne paye pas d'impôts et que ses bilans ne sont pas publiés. Elle n'est pas la seule en Europe. Ses bureaux de direction sont à Paris, mais elle opère sur les Balkans. Entre autres activités, elle finance la manufacture clandestine d'héroïne.

— Croyez-vous qu'elle a aussi financé le *coup d'Etat* de Zankoff ?

— Possible. En tout cas, elle a permis de créer la situation favorable au *coup d'Etat*. C'était le secret de Polichinelle que l'attentat d'Haskovo était l'œuvre d'agents étrangers spécialement importés. On a dit également que les troubles auraient été réprimés sans la présence d'*agents provocateurs* étrangers.

Latimer n'en avait pas tant espéré :

— Pourrais-je trouver des détails sur l'affaire d'Haskovo ?

Maroukakis haussa les épaules :

— C'était il y a quinze ans. La police pourrait vous fournir des renseignements, mais j'en doute. Si je savais ce que vous cherchez au juste...

— Bien, je vais vous le dire.

Latimer, résigné, se lança :

— Il y a quelques semaines, j'ai déjeuné avec le chef de la police secrète turque, à Istanbul. Il s'intéresse à la littérature policière et voudrait que j'utilise une intrigue qu'il a inventée. Nous discutions du meurtre dans la vie et dans la fiction quand, pour illustrer son point de vue, il m'a lu le dossier d'un certain Dimitrios Makropoulos, ou Talaat. Une canaille et un homme de main de la pire espèce. Il avait tué un usurier à Smyrne et s'était arrangé pour qu'un camarade de travail soit pendu à sa place. Il avait trempé dans trois tentatives d'assassinat, dont celle de Stamboulitsky. Il avait été espion pour la France et avait dirigé un réseau de drogue à Paris. La veille, il avait été tué d'un coup de couteau au ventre et trouvé flottant dans le Bosphore. J'étais curieux de voir son cadavre. J'ai obtenu d'aller à la morgue, où il était couché sur une table, ses vêtements empilés à côté de lui.

» Peut-être parce que j'avais fait un bon déjeuner, j'ai eu soudain envie de mieux connaître ce Dimitrios. Je suis écrivain, comme vous le savez. Je me suis dit qu'il serait intéressant de jouer moi-même au détective, pour une fois. En fait, ce n'était qu'une excuse. Ma curiosité est celle d'un biographe plutôt que d'un romancier, bien que ça m'agace de devoir l'admettre. Je voudrais expliquer Dimitrios, comprendre comment fonctionnait un tel esprit. Lui coller l'étiquette : crapule, ça ne me suffit pas. Je l'ai senti, perçu comme un homme, pas comme un cadavre ; comme... un facteur d'un système social en décomposition, pas comme un cas isolé...

Latimer s'arrêta, semblant considérer son impuissance à se faire comprendre, à se comprendre lui-même :

— Voilà, Maroukakis. Voilà pourquoi je suis à Sofia à vous faire perdre votre temps à propos d'événements vieux de quinze ans. Je recueille des documents pour une biographie qui ne sera jamais écrite, alors que je devrais préparer mon prochain roman. Cela me paraît étrange. Cela doit vous sembler fantastique. C'est ainsi.

Maroukakis avait contemplé sa tasse vide. Il leva les yeux :

— Quelle est votre explication personnelle de votre curiosité ?

— Je viens de vous la donner.

— Non, vous essayez de vous tromper vous-même. Vous espérez *au fond* qu'en comprenant Dimitrios, vous pourrez rationaliser aussi l'évolution de ce système social en décomposition, comme vous dites.

— Excusez-moi, mais votre interprétation me semble un peu simple. Je ne crois pas que je puisse l'accepter.

— C'est néanmoins mon opinion.

— En tout cas, merci de me croire.

— Pas de quoi. C'est trop absurde pour ne pas être vrai. Que savez-vous du passage de Dimitrios en Bulgarie ?

— Presque rien. On m'a dit qu'il avait servi d'intermédiaire dans un complot contre Stamboulitsky. Il n'y a pas de preuve qu'il ait participé à l'attentat en personne. Il est connu de la police bulgare, d'après le service secret turc, qui a enquêté sur lui au sujet d'une autre affaire. Il paraît qu'une femme de Sofia a été questionnée.

— Si elle vit encore et si elle est toujours ici, ce serait intéressant de lui parler.

— Oui. J'ai suivi la trace de Dimitrios à Smyrne et à Athènes, mais je n'ai pas rencontré quelqu'un qui l'ait connu vivant. Malheureusement, je ne sais pas le nom de cette femme.

— Il est sans doute dans les archives. Je vais me renseigner, si vous voulez.

— Je n'ose pas vous le demander. Que je perde mon temps n'est pas une raison pour vous faire gaspiller le vôtre.

— Mon cher, vous n'aurez pas l'occasion de perdre votre temps à consulter les fiches de police si je ne m'en mêle pas. Vous ne lisez pas le bulgare et la police ne vous recevrait pas à bras ouverts. Je suis, grâce à Dieu, un journaliste accrédité travaillant pour une agence française. J'ai des privilèges. D'autre part — il sourit — votre histoire m'intéresse. L'aspect baroque de l'humanité est captivant, n'est-ce pas ?

Il regarda autour de lui. Le restaurant s'était vidé. Le moustachu dormait, les pieds sur une table. Maroukakis secoua la tête :

— Il faudra réveiller le pauvre diable pour le payer.

Le surlendemain, Latimer reçut une lettre de Maroukakis. Le temps avait passé agréablement. Il avait contemplé des tableaux et la statue d'Alexandre II. Il avait flâné dans les cafés et dans les rues. Il avait escaladé la montagne de Sofia, Vitocha, était allé au théâtre, au cinéma, où il avait vu un film allemand sous-titré en bulgare. Volontairement, il avait peu pensé à Dimitrios et beaucoup à son prochain livre. Il avait constaté avec une irritation amusée que la première intention était plus facile que la seconde. La lettre de Maroukakis chassa complètement le roman de ses préoccupations.

> « Cher Monsieur,
>
> Voici, comme je vous l'avais promis, un *précis* de toutes les informations que j'ai pu obtenir de la police. Elles ne sont pas complètes, ce qui est intéressant. Pour savoir si la femme en cause est accessible ou non, il faudra que je fasse ami-ami avec d'autres policiers. Nous pourrions nous voir demain.
>
> Je vous assure de mes meilleurs sentiments.
>
> N. MAROUKAKIS. »

Une feuille dactylographiée était jointe à la lettre :

ARCHIVES DE LA POLICE DE SOFIA
1923-1924

> « Dimitrios Makropoulos. Citoyen grec. Né à Salonique. 1889. Dit emballeur de figues. Entré par Varna, décem-

bre 1922, le 24, à l'escale du paquebot italien *Isola Bella*. Carte d'identité de l'Organisation Nansen nº T 53462.

Lors d'une ronde de police le 6 juin 1923 au Café Spetzi, rue Perotska, a été trouvé en compagnie d'une femme, Irana Preveza, Bulgare d'origine grecque.

Connu pour fréquenter des criminels étrangers. Interdit de séjour le 7 juin 1923. Mesure rapportée à la demande et sur la caution d'A. Vazoff.

En septembre 1924, les informations ci-dessus ont été transmises au Gouvernement turc, enquêtant sur un emballeur de figues nommé Dimitrios, accusé de meurtre. Irana Preveza, interrogée, a dit avoir reçu une lettre de Makropoulos postée à Andrinople. Elle a fourni la description suivante :

Taille : un mètre quatre-vingt-deux. Yeux bruns. Teint foncé. Rasé. Cheveux noirs et plats. Signes particuliers : néant. »

Au bas de ce *précis,* Maroukakis avait ajouté une note manuscrite :

« Ce n'est que le dossier ordinaire. Référence est faite à un dossier de la police secrète, mais il est interdit de le consulter. »

Latimer soupira. Là se trouvaient certainement les détails du rôle joué par Dimitrios dans les événements de 1923. Les Bulgares en savaient plus qu'ils n'avaient bien voulu le dire aux Turcs. Que les informations existent et soient inaccessibles était exaspérant.

Il y avait cependant de quoi penser. En décembre 1922, sur le paquebot italien entre Le Pirée et Varna, Taladis était redevenu Makropoulos. Dimitrios s'était découvert un talent de faussaire ou avait loué les services d'un spécialiste.

Irana Preveza était un indice solide et à suivre sérieusement. Si elle vivait encore, il devait y avoir un moyen de la retrouver. C'était l'affaire de Maroukakis. Incidemment, sa nationalité grecque était à noter. Dimitrios ne parlait probablement pas le bulgare.

Les criminels étrangers restaient bien vagues. Quelle sorte de criminels ? De quel pays ? Quel lien entre eux et lui ? Pourquoi cette interdiction de séjour l'avant-veille du *coup d'Etat ?* Etait-il un des suspects dont la police essayait de se débarrasser pendant cette semaine critique ? Le colonel Haki ne croyait pas que Dimitrios fût un assassin ; mais il était loin de tout savoir. Et qui donc était l'obligeant Vazoff ? Les réponses à ces questions étaient dans le dossier secret. Décidément pénible !

La description pouvait s'appliquer à des milliers d'hommes. Même avec un intime, l'acte de reconnaissance repose sur des traits subjectifs et indescriptibles, qui appartiennent autant et plus à l'observateur qu'au sujet. Un homme petit dira qu'un homme de taille moyenne est grand. Pour les besognes quotidiennes d'aimer et de haïr, de voyager du berceau à la tombe avec le moins de désagréments possible, de telles approximations suffisent. Mais Latimer avait besoin d'un portrait précis de Dimitrios, d'une de ces visions d'artiste qui, en dégageant les particularités d'une physionomie, communiquent comme magiquement une connaissance du caractère. Faute de cela, il devait tenter de superposer les informations brutes conservées par la police, dans l'espoir qu'elles forment finalement une structure acceptable. Dhris Mohammed avait, par exemple, donné une image assez significative. Mais les indications de la femme n'y ajoutaient presque rien. La police lui avait probablement fait dire n'importe quoi, sous la menace : « Assez de mensonges. Décris-le. Il est grand ? La couleur de ses yeux. Tu le connais, non ? Pas de blagues ou je vais me fâcher... »

Curieux, tout de même, qu'il n'y ait pas de photographie ! Dimitrios avait été arrêté plusieurs heures avant que Vazoff vienne à la rescousse. Curieux que la femme ait su sa taille au centimètre près ! C'est un détail que l'on ignore généralement de ses meilleurs amis ; parfois, de soi-même.

Une idée prenait forme dans la réflexion de Latimer. Les autorités bulgares n'avaient évidemment pas transmis toutes leurs informations à leurs homologues turcs. Le second dossier en était la preuve. Alors, pourquoi avaient-elles affecté de coopérer? Il était facile de répondre qu'elles ne connaissaient pas de Dimitrios. La solution tenait peut-être dans l'allusion du colonel à « des gens bien vus d'un gouvernement voisin et ami »... Des gens qui auraient eu aussi « de bonnes raisons de se débarrasser de Kemal Ataturk »... Si l'on remplaçait ces termes abstraits par : le Crédit Eurasien, A. Vazoff, le Gouvernement bulgare? Bref, si le complot contre le Gazi avait été organisé par le Crédit Eurasien opérant sur le territoire bulgare, cette banque et ce gouvernement auraient eu un excellent motif de prétendre coopérer avec le service secret turc, pour manifester leur bonne volonté et leur innocence bienveillante.

C'était une construction acrobatique et sans possibilité de vérification. Latimer haussa les épaules et se força à revenir à son roman. Mais à contrecœur.

Le matin suivant, Maroukakis l'appela au téléphone. Ils prirent rendez-vous pour le soir.

— Avez-vous du nouveau? demanda Latimer, les politesses expédiées au plus vite.

— Oui.

L'écrivain se sentait dans l'état d'excitation, d'appréhension, de rancœur qu'il n'avait pas éprouvé depuis le temps où il attendait le résultat de ses examens.

— Vous êtes bien bon de vous donner tant de peine, dit-il avec stoïcisme.

— Pas du tout, mon cher ami. Cette histoire m'intéresse. Retournons-nous chez l'épicier? Nous pouvons y parler tranquillement.

Durant tout le repas, Maroukakis discuta de la politique des pays scandinaves en cas d'une seconde guerre mondiale. Latimer n'avait jamais mieux partagé l'envie de meurtre qu'il prêtait à ses personnages les plus sanguinaires.

— A propos de votre Dimitrios, dit enfin le Grec, nous sortons ce soir.

— Que voulez-vous dire?

— Je vous ai annoncé que je ferais ami-ami avec des policiers. Mission accomplie. J'ai repéré la dame Preveza. Il se trouve qu'elle est très connue. De la police.

Latimer sentit son cœur battre plus vite :

— Où est-elle ?

— A cinq minutes d'ici. Elle est propriétaire d'un *Nachtlokal* baptisé *la Vierge Marie.*

— *Nachtlokal ?*

— Ce que vous appelez une boîte de nuit.

— Je vois.

— Elle a longtemps travaillé seule ou dans d'autres maisons. En vieillissant, elle a quitté le service actif et a investi ses économies dans un petit commerce prospère. Elle a cinquante ans mais paraît plus jeune. La police l'adore. Elle ne se lève pas avant dix heures du soir. Attendons. Avez-vous lu sa description de Dimitrios ? Signes particuliers : néant. Je me suis tordu de rire.

— Avez-vous remarqué qu'elle savait la taille de Dimitrios au centimètre près ?

— Oui. Et alors ?

— Peu de gens connaissent exactement leur propre taille.

— Humm ! Que voulez-vous dire ?

— Je crois que la description vient du second dossier, et d'une fiche anthropométrique établie par l'identité judiciaire. Pas de cette femme.

— Continuez.

— Un instant. Qui est A. Vazoff ?

— J'allais vous le dire. C'était un avocat.

— Etait ?

— Il est mort il y a trois ans. Il a laissé une fortune considérable à un neveu qui habite Bucarest. A quoi pensez-vous ?

Latimer exposa sa théorie, avec quelque gêne. Nettement formulée, elle ne semblait pas convaincante. Maroukakis écoutait sérieusement :

— Vous avez peut-être raison. Kemal a toujours été contre les financiers, surtout ceux de la variété internationale. Il n'avait aucune confiance en eux et il n'avait pas tort. Pendant des années, il a refusé les prêts, ce qui est aussi agréable pour un financier qu'un coup de pied à la figure. Ne soyez pas timide, mon vieux. Votre idée est bonne. La finance internationale a provoqué des révolutions à son avantage depuis qu'elle existe. Necker a aidé la Révolution française au nom de la Liberté, de l'Egalité et de la Fraternité. Aujourd'hui, menacée par le communisme, elle opère au nom de l'Ordre, de la Loi, de la Libre Entreprise. Et si un assassinat est utile pour les affaires, on assassine. Pas à Paris, bien sûr, ni à Londres ou à New York. Jamais[1] ! Et l'assassin n'appartient pas à un conseil d'administration. La méthode est simple. Quelqu'un d'important dit, comme par hasard : « Il serait bon que M. Untel, ce gêneur, cet ennemi de la paix et de la prospérité, disparaisse. » C'est tout. Un souhait en l'air. Mais ce souhait est exprimé à portée de voix d'un homme dont le métier est d'entendre ce genre de choses, de les enregistrer, de les mettre en pratique. D'en prendre la responsabilité et les moyens. Le financier international ne se salit pas les mains. Il rêve, il espère. Et, parce qu'il a de la chance, son rêve se réalise. Le concurrent est éliminé. Le Destin est le seul responsable. Mais il dormait. Il fallait lui pousser le coude.

— C'était le travail de Dimitrios ?

— Oh non ! Le pousseur de coude est un homme important, pas un métèque. Il connaît tout le monde. Il est charmant et sa femme est ravissante. Ses revenus viennent d'un portefeuille en Bourse et son percepteur est très gentil avec lui. Il s'absente de temps en temps, pour des affaires que ses amis distingués n'ont pas l'impolitesse

1. Etant donné l'excellente information de l'auteur, il est permis de souligner que ce détail n'est pas exact. Dans ces trois villes, un quasi-monopole du meurtre professionnel existe depuis, respectivement, environ cent vingt ans, cent et quatre-vingts. Le nom de ces ententes est également : le Syndicat. L'élimination est maquillée en accident ; les prix sont abordables et les irréguliers impitoyablement éliminés, car ils gâcheraient le métier. C'est un cas exceptionnel où le milieu collabore avec la police, pour écarter les amateurs. *(N.d.T.)*

de vérifier. Il porte une ou deux décorations étrangères lors des réceptions diplomatiques. Mais il connaît aussi des hommes comme Dimitrios, la moisissure du capitalisme pourrissant. Il n'a pas de convictions politiques. Pour lui, le seul lien entre les humains est l'intérêt pur. Il croit en la survivance des mieux armés et en la loi de la jungle parce qu'il vit et s'enrichit sur les faibles. Il veille à ce que la loi de la jungle reste la force dominante de la société. Toutes les capitales du monde abritent sa race. Le capitalisme international gouverne la terre par le papier, mais l'encre dont il se sert est le sang.

Maroukakis cogna la table du poing. Latimer avait reçu une éducation anglaise et ne pouvait surmonter son dégoût de la rhétorique. Il ne fit aucun commentaire et s'abstint de remarquer que le Grec utilisait des expressions sorties tout droit du *Manifeste communiste.* Après tout, le journaliste avait droit à sa liberté de pensée et se montrait très serviable. Pourtant, son honnêteté lui fit dire :

— C'est un tableau en blanc et noir. Vous ne croyez pas que vous exagérez ?

Maroukakis fronça d'abord les sourcils, puis se détendit :

— Naturellement, j'exagère. Il est agréable parfois de penser en blanc et noir, même si la logique vous force à revenir au gris. Seulement, et là je suis très sérieux, je n'exagérais pas autant que vous le croyez. Il y a réellement des hommes tels que ceux que je vous ai décrits.

— Réellement ?

— L'un d'eux était membre du conseil d'administration du Crédit Eurasien. Son nom était Anton Vazoff.

— Vazoff !

Maroukakis gloussa de bonne humeur et de bonne volonté :

— Je voulais vous faire cette surprise. Le Crédit Eurasien est devenu une société monégasque en 1926. Avant cette date, la liste des administrateurs était déposée et accessible. Vazoff y figure en bonne place.

— Mais c'est très important, s'exclama Latimer. Vous ne voyez pas que...

Maroukakis le fit taire d'un geste négligent et demanda l'addition. Il se retourna vers Latimer en riant :

— Vous autres Anglais, vous êtes sublimes. Vous croyez que vous avez le monopole du bon sens.

VI

# Carte postale

*La Vierge Marie* était située, avec une certaine logique, derrière l'église *Sveta Nedelja.* La rue était étroite, en pente, mal éclairée. Elle semblait étrangement silencieuse, mais on percevait un fond de musique et de rires étouffés qui éclatait soudain lorsqu'une porte s'ouvrait. Deux hommes sortirent devant eux d'un porche, allumèrent des cigarettes et s'en allèrent à pas pressés.

— Il y a encore peu de monde, commenta Maroukakis. C'est trop tôt.

La plupart des portes étaient en verre translucide et jetaient une lueur diffuse. Quelques-unes affichaient un numéro plus voyant qu'il n'aurait été nécessaire pour les besoins courants. D'autres avaient un nom : *Wonderbar, O. K., Jymmies, Stamboul, Torquemada, Vitocha, le Viol de Lucrèce* et, en remontant la colline, *la Vierge Marie.* La porte était l'une des moins minables de la rue. Maroukakis la poussa, tandis que Latimer tâtait machinalement son portefeuille. Un accordéon jouait un *paso doble.* Au bout d'un étroit passage badigeonné de rouge, ils arrivèrent à un petit *vestiaire* qui ne contenait qu'une demi-douzaine de chapeaux et de pardessus. Un homme livide apparut, les débarrassa en disant : « *Bonsoir, Messieurs.* » Avec un geste pompeux, il indiqua un escalier conduisant au sous-sol.

La salle basse avait environ dix mètres dans les deux sens, des murs bleu pâle ornés de miroirs ovales soutenus par des chérubins en *papier mâché,* une décoration de fresques hautement stylisées, montrant des hommes monoclés et des femmes en tailleur et bas noirs, dans le goût cubiste qui avait sévi en France dix ans plus tôt. Face à un bar minuscule, une plate-forme portait quatre Noirs apathiques en blouse blanche « argentine ». Près d'eux pendait un rideau de peluche bleu sombre. Les tables étaient disposées tout autour des murs, entre des séparations de bois à hauteur d'épaule. Une dizaine de personnes y étaient installées ; l'orchestre jouait nonchalamment ; deux filles dansaient ensemble.

— Trop tôt, répéta Maroukakis d'un ton désappointé. Ce sera bientôt plus gai.

Un garçon les fit asseoir et réapparut immédiatement avec une bouteille de champagne.

— J'espère que vous avez de l'argent sur vous, murmura Maroukakis. Ce poison va coûter dans les deux cents leva.

Latimer hocha la tête avec sérénité. Deux cents leva représentaient environ dix shillings.

L'orchestre s'arrêta. L'une des filles repéra Latimer et elles vinrent vers eux, souriantes. Maroukakis dit quelque chose. Sans cesser de sourire, elles haussèrent les épaules et s'en allèrent.

— J'ai dit que nous avions à parler affaires, mais qu'elles seraient les bienvenues tout à l'heure. Naturellement, si vous ne voulez pas les revoir...

— Naturellement, dit Latimer.

Il goûta le champagne et frissonna.

— Dommage. Puisque nous payons le champagne, autant que quelqu'un le boive.

— Où est cette Preveza ?

— Elle va descendre d'un moment à l'autre, je pense. A moins que nous ne montions chez elle.

Il indiqua le plafond d'un regard entendu.

— C'est un endroit assez raffiné, vous savez. Tout est très discret.

— Si elle doit venir bientôt, pas la peine de se déranger.

Latimer se sentait dans un état d'esprit de supériorité susceptible. Un peu d'alcool lui aurait fait le plus grand bien, mais le champagne n'était vraiment pas buvable.

La propriétaire de *la Vierge Marie* ne se montra qu'une heure et demie plus tard. Entre-temps, le cabaret était en effet devenu « gai ». Les gens arrivaient, des hommes surtout et quelques femmes d'un genre clairement défini. Un maquereau à l'air très sobre convoyait deux Allemands à l'air très ivre, probablement des voyageurs de commerce en goguette. On allait et venait par la porte tendue de peluche bleue. Un couple d'hommes sinistres buvait de l'eau de Vichy. Il fallut disposer des tables supplémentaires sur la piste de danse, occupée par une masse transpirante de clients et d'entraîneuses. Puis les filles s'éclipsèrent et revinrent vêtues de poudre ocre et de fleurs artificielles. Elles s'agitèrent en cadence approximative et furent remplacées par un jeune homme habillé en femme qui chanta en allemand. Les filles réapparurent, sans leurs fleurs, refirent un numéro qui termina le spectacle de cabaret. L'assistance occupa la piste. La chaleur devint intenable.

Latimer observait distraitement un des hommes sinistres offrant à l'autre ce qui aurait pu être une prise de tabac et ne l'était certainement pas quand Maroukakis le poussa du coude :

— La voici.

Elle se tenait, immobile, devant le rideau. Elle avait ce quelque chose de douteux qui est si tenace chez certaines femmes malgré les efforts de maquillage. Son corps lourd était assez beau ; sa robe, chère ; elle sortait des mains du coiffeur. Cependant, elle restait crasseuse en profondeur. On voyait dans son regard qu'elle ne serait jamais qu'une prostituée parvenue. Il semblait que d'un instant à l'autre la robe allait tomber, les cheveux se défaire, la bretelle du soutien-gorge glisser sur une épaule crémeuse. Elle évoquait les souvenirs de réveils dans les chambres d'hôtel où l'aube filtrait par la fente des rideaux poussiéreux, les vêtements épars sur les meubles écaillés, les odeurs indéfinissables, le souffle lent d'une inconnue à son côté. Mais, en ce moment, les yeux étaient attentifs ; ils étudiaient la salle, repéraient les habitués ; la bouche, ferme et amusée entre les joues charnues, mesurait des sourires.

Maroukakis fit signe au garçon et lui chuchota à l'oreille. L'homme hésita, puis hocha la tête. Latimer le vit s'approcher de Mme Preveza, qui parlait à un gros homme serrant contre lui une des filles. Il désigna du doigt leur table et, pendant une minute, elle les observa calmement. Elle dit un mot au garçon et reprit sa conversation.

— Elle vient tout de suite, traduisit Maroukakis.

Quittant le gros homme, elle acheva son tour de la salle, distribuant saluts et sourires complices. Elle atteignit enfin leur stalle. Involontairement, Latimer se leva. Les yeux analysaient son visage avec une compétence professionnelle :

— Vous voulez me parler, messieurs ?

La voix était rauque, un peu éraillée ; son français était correct mais avec un fort accent.

— Faites-nous l'honneur de vous asseoir un instant, dit Maroukakis.

— Bien sûr.

Elle s'assit à côté de lui, renvoya d'un geste le garçon qui se précipitait.

— Je ne vous ai jamais vu, monsieur, dit-elle à Latimer. J'ai déjà vu votre ami, mais pas chez moi.

Elle se tourna vers Maroukakis.

— Allez-vous écrire sur moi dans les journaux de Paris ? Alors, vous devez voir le reste du spectacle. Vous et votre ami.

Le Grec sourit :

— Non, madame. Nous abusons de votre hospitalité pour vous poser une question.

Les yeux noirs se vidèrent d'expression :

— Je ne sais rien d'intéressant.

— Votre discrétion est connue, madame. Seulement, cette question concerne un homme aujourd'hui mort et enterré, que vous avez rencontré il y a quinze ans.

Elle eut un rire bref. Latimer remarqua qu'elle avait les dents gâtées. Un autre accès de rire la secoua. C'était un son pénible, qui détruisait sa dignité affectée et la vieillissait :

— Vous me faites un grand compliment, monsieur. Quinze ans ! Vous ne croyez pas que je me souvienne d'un homme si longtemps, non ? Sainte Mère de Dieu, vous allez m'offrir un verre, après tout.

Latimer appela le garçon :

— Que voulez-vous boire, madame ?

— Du champagne. Pas cette ordure. Le barman saura. Quinze ans ! C'est amusant, je vous jure.

— Nous n'y comptions guère, dit Maroukakis froidement. Mais si le nom vous rappelle quelque chose, il s'appelait Dimitrios. Dimitrios Makropoulos.

Elle était en train d'allumer une cigarette. Elle s'arrêta net, les yeux fixés sur la flamme. Pendant plusieurs secondes, le seul mouvement que Latimer vit sur son visage fut un lent abaissement des coins de la bouche. Il lui semblait que le bruit ambiant avait soudain reculé ; qu'il avait du coton dans les oreilles. Elle jeta l'allumette dans le cendrier et, sans lever les yeux :

— Allez-vous-en tous les deux.

— Mais...

— Dehors !

Elle n'avait ni bougé ni haussé la voix.

Maroukakis regarda Latimer, haussa les épaules et se leva. Latimer l'imita. Elle cracha d'un ton furieux :

— Asseyez-vous. Je ne veux pas de scène ici.

Ils obéirent. Maroukakis dit, acide :

— Ayez la bonté d'expliquer, madame, comment nous pouvons sortir en restant assis.

Elle saisit d'un mouvement vif le pied de son verre. Latimer crut qu'elle allait l'écraser sur le visage du Grec. Puis les doigts se détendirent. Elle dit quelque chose en un grec trop rapide pour que l'Anglais puisse comprendre. Maroukakis secoua la tête :

— Non, il n'est pas de la police. C'est un écrivain qui cherche des documents pour un livre.

— Hein ?

— Oui. Il a vu le cadavre de Dimitrios à Istanbul, il y a un ou deux mois. Ça l'a rendu curieux.

Elle attrapa la manche de Latimer :

— Il est mort ? C'est vrai ? Vous avez réellement vu son corps ?

Latimer eut l'impression d'être un médecin annonçant à la famille que tout est fini :

— Il a été poignardé et jeté dans la mer, dit-il, et il se reprocha sa maladresse.

Elle avait dans le regard une émotion sincère, mais qu'il identifiait mal. Peut-être qu'à sa façon elle l'avait aimé.

— Avait-il de l'argent sur lui ?

Il fit non, sans comprendre.

— *Merde !* dit-elle rageusement. Ce *salop* me devait mille francs. Je peux me brosser pour les revoir. Foutez le camp, vous, avant que je vous fasse jeter dehors !

Il était presque trois heures et demie quand Latimer et Maroukakis quittèrent *la Vierge Marie.*

Les deux heures précédentes s'étaient passées dans le bureau privé de M^me^ Preveza. Une pièce tendue de papier à fleurs, encombrée d'un piano à queue couvert d'un châle de soie blanche, de petites tables chargées de bric-à-brac, de nombreuses chaises, d'un palmier maladif dans une caisse de bambou, d'une chaise longue et d'un grand secrétaire espagnol en chêne noir. On y accédait par la porte au rideau bleu, un escalier, un corridor faiblement éclairé avec, de chaque côté, des portes numérotées et une odeur qui faisait penser à une clinique aux heures de visite.

Une invitation était la dernière chose à laquelle Latimer s'était attendu, après le dernier : « Foutez le camp. » Sans transition, elle s'était excusée et était devenue plaintive. Mille francs, c'était mille francs ! Ses yeux s'étaient emplis de larmes. Fantastique ! se disait Latimer. Elle ne s'attendait tout de même pas à être remboursée après quinze ans ? Est-ce qu'elle avait gardé l'illusion que

Dimitrios reviendrait un jour pour la couvrir de billets de mille francs ? La mentalité des contes de fées. La nouvelle avait peut-être mis fin à une vieille rêverie et, la première colère passée, provoqué une crise d'apitoiement sur elle-même. Les porteurs de la mauvaise nouvelle devaient comprendre à quel point elle était mauvaise. A quel point, aussi, cette malheureuse femme était généreuse, confiante ; combien elle méritait de sympathie. Leurs consommations, avait-elle dit comme pour prouver sa nature amicale et tendre, étaient aux frais de la maison.

Elle les fit asseoir sur la chaise longue et fouilla dans le secrétaire. D'un des innombrables petits tiroirs, elle sortit un carnet usé. Elle le feuilleta :

— Là ! 15 février 1923.

Elle referma le carnet et leva les yeux au ciel, semblant le prendre à témoin.

— C'est le jour où il m'a emprunté l'argent. On me le devait et il l'a gardé, en me promettant de me le rendre. Plutôt que de faire une scène — je déteste les scènes —, j'ai accepté. Il m'a juré qu'il serait riche dans quelques semaines. S'il est devenu riche, il ne m'a pas payé mes mille francs. Après tout ce que j'avais fait pour lui !

» J'ai ramassé ce type dans le ruisseau, messieurs. C'était en décembre. Jésus, qu'il faisait froid ! Dans les provinces de l'Est, les gens mouraient comme si on les fauchait à la mitrailleuse ; et j'ai vu des gens liquidés à la mitrailleuse. En ce temps-là, je n'avais pas une maison à moi. Mais j'étais jeune. Je posais souvent pour des photographes. Il y avait une photo que j'adorais : avec juste un petit machin de gaze blanche et une couronne de fleurs blanches. J'avais la main, comme ça, sur une colonne de beau marbre blanc, avec une seule rose rouge. C'était une carte postale *pour les amoureux.* Il y avait un poème au bas...

Les lourdes paupières moites se fermèrent. Elle récita doucement :

*Je veux que mon cœur vous serve d'oreiller*
*Et à votre bonheur je saurai veiller.*

— Mignon, hein ? J'ai brûlé toutes mes photos, il y a des années. Des fois, je les regrette. Mais il ne faut pas revenir sur le passé. Voilà pourquoi, messieurs, je vous en ai voulu de me parler de Dimitrios. Dimitrios, c'est le passé. Il faut penser au présent et à l'avenir.

» Et pourtant, on n'oublie pas Dimitrios facilement. J'ai connu beaucoup d'hommes. Deux seulement m'ont fait peur : celui qui m'a épousée et Dimitrios. Vous savez, on se trompe. On croit qu'on veut être compris. Non, on veut n'être qu'à moitié compris. Si quelqu'un vous comprend réellement, on a peur de lui. Mon mari me comprenait parce qu'il m'aimait et j'avais peur de lui à cause de ça. Quand il s'est fatigué de m'aimer, j'ai pu en rire. Dimitrios était différent. Il me comprenait mieux que je ne me comprenais moi-même, mais il ne m'aimait pas. Je ne pense pas qu'il puisse aimer quelqu'un. Je croyais qu'un jour je pourrais rire aussi de lui. Ce jour n'est jamais venu. On ne peut pas rire de Dimitrios, je l'ai su plus tard. Quand il est parti, je l'ai détesté. Je me disais que c'était parce qu'il me devait mille francs. Ce n'était pas vrai. Il m'avait tout le temps pris de l'argent. Je le détestais parce que j'avais peur et qu'il me comprenait.

Malgré son habitude d'écrivain de laisser parler en se manifestant aussi peu que possible, Latimer hocha la tête. C'était de la fort bonne psychologie. D'ailleurs, les prostituées qui réussissent doivent bien connaître les hommes.

— Alors, je vivais dans un hôtel. Un sale coin. Le *patron* était une brute, mais il était ami avec la police. Tant qu'on payait sa chambre, on était tranquille, même si on n'avait pas de papiers en ordre.

» Un après-midi, j'étais en train de me reposer quand j'entendis le *patron* engueuler quelqu'un dans la chambre à côté. Les murs étaient minces et j'entendais tout. D'abord, je n'ai pas fait attention, parce qu'il engueulait toujours quelqu'un. Et puis j'ai écouté puisqu'ils parlaient grec. Il menaçait d'appeler la police si l'autre ne payait pas son loyer. Je n'entendais pas ce que répondait l'autre. Il parlait doucement. A la fin, le *patron* est parti. Je dormais à moitié quand on a tourné le bouton de ma porte. Le verrou était poussé. J'ai regardé le bouton tourner lentement et revenir. On a frappé.

» J'ai demandé qui c'était. On n'a pas répondu. J'ai pensé que c'était peut-être un de mes amis. J'ai été ouvrir. Dehors, il y avait Dimitrios.

» Il m'a demandé d'entrer, en grec. Je lui ai demandé ce qu'il me voulait et il a dit qu'il voulait me parler. J'ai demandé aussi comment il savait que je parlais grec, mais il n'a pas répondu. J'avais deviné que c'était mon voisin. Deux ou trois fois, je l'avais croisé dans l'escalier. Il m'avait paru poli et très nerveux. Maintenant, il n'était pas nerveux. Je lui dis que je me reposais et qu'il pouvait revenir plus tard. Mais il sourit, entra et s'appuya au mur.

» Je lui dis de sortir, que j'allais appeler le *patron*. Il n'a pas bougé. Il a demandé si j'avais entendu sa dispute avec le *patron*. J'ai répliqué que je ne savais rien. J'avais un pistolet dans un tiroir de ma table et j'ai été pour le prendre. Il s'est déplacé dans la pièce comme s'il devinait et il s'est assis sur la table. Et puis il m'a demandé de lui prêter de l'argent.

» Je n'ai jamais été bête. J'avais mille leva épinglés en haut d'un rideau et seulement des pièces dans mon sac. J'ai dit que je n'avais pas d'argent. Il a fait comme s'il n'avait pas entendu. Il a dit qu'il n'avait pas mangé depuis la veille et qu'il se sentait très mal. Pendant qu'il parlait, ses yeux examinaient tout dans la chambre. Son visage était lisse, ovale, pâle. Il avait des yeux bruns, anxieux, comme ceux d'un docteur qui va vous faire mal. Il me faisait peur. Je lui ai dit que je n'avais pas d'argent mais que je gardais du pain dans un tiroir. Il m'a demandé le pain.

» Je le lui ai donné et il a mangé lentement, toujours assis sur la table. Il m'a demandé une cigarette. Il l'a fumée, en me disant que j'avais besoin d'un protecteur. J'ai dit que je me débrouillais seule. Il a dit que j'étais une sotte et qu'il pouvait le prouver. Il pouvait avoir grâce à moi cinq mille leva aujourd'hui même et il m'en donnerait la moitié. J'ai pensé qu'il était fou. J'ai accepté pour m'en débarrasser. Il m'a dicté une lettre pour un homme dont je n'avais jamais entendu le nom, demandant cinq mille leva et signée : Irana. Il est parti en me donnant rendez-vous le soir dans un café.

» Je n'ai pas pris la peine d'y aller. Le lendemain matin il est venu à ma porte. Je ne lui ai pas ouvert. Alors, il a glissé sous la porte un billet de mille leva et dit que j'aurais le reste quand je le laisserais entrer. Je lui ai ouvert, naturellement. Il m'a donné les quinze cents leva.

» Il avait suivi un de mes amis et avait découvert son nom. C'était un homme important, qui avait une femme et des filles. Dimitrios l'avait menacé de leur apprendre qu'il venait me voir ; il avait payé immédiatement.

» Je suis très discrète. Ça m'a rendue furieuse. J'ai dit que pour deux mille cinq cents leva j'avais perdu un de mes meilleurs amis. Dimitrios affirma qu'il pouvait m'en procurer de plus riches, et qu'il m'avait donné l'argent comme preuve de ses bonnes intentions. Il aurait pu écrire la lettre lui-même et faire chanter mon client sans m'en parler.

» C'était vrai. Il pouvait aller trouver tous mes autres amis si je ne me mettais pas d'accord avec lui. Alors, il est devenu mon protecteur et il m'a vraiment procuré des amis plus riches. Il s'est acheté de beaux habits et a fréquenté les cafés chics.

» Bientôt, j'ai appris qu'il se mêlait de politique et qu'il allait dans des cafés surveillés par la police. Je lui ai dit qu'il était idiot, mais il ne m'a pas écoutée. Il répétait qu'il allait gagner un tas d'argent. Un jour, il s'est soudain mis en colère. Il a dit que personne ne l'empêcherait d'être riche, qu'il en avait assez d'être pauvre. Quand je lui ai rappelé que c'était à cause de moi qu'il ne crevait pas de faim, il a ricané :

» “ Toi ? Il y en a des milliers comme toi. Je t'ai choisie parce que tu n'es pas douce et sentimentale comme tu en as l'air. Tu es maligne et tu ne perds pas la tête. Je savais bien, le premier jour, que ton argent était caché dans le rideau. C'est un vieux truc. Mais tu faisais semblant de surveiller ton sac. J'ai vu que tu étais intelligente. Mais tu n'as pas d'imagination. Tu ne comprends pas l'argent. Tu t'achètes ce qui te plaît et on te regarde de haut dans les restaurants. Il n'y a que ceux qui n'ont pas d'imagination qui restent pauvres. Quand on est riche, les gens ne s'occupent pas de ce qu'on est. On a le pouvoir et c'est ce qui compte pour un homme. "

» Alors, parce que quand les hommes deviennent sentimentaux et racontent leurs rêves je les méprise, j'ai oublié ma peur de Dimitrios. Là, assis sur la table comme le jour où il m'avait demandé du pain, avec ses beaux vêtements, il m'a semblé absurde. J'ai ri.

» Il était toujours pâle. Tout à coup, le sang a quitté son visage. Il est devenu livide et j'ai été terrifiée. J'ai cru qu'il allait me tuer. Il avait un verre à la main. Il l'a cassé sur le bord de la table, il s'est levé, il a marché vers moi, tenant le tesson. J'ai crié. Il s'est arrêté et a jeté le verre sur le tapis. Il a grogné que c'était stupide de se fâcher contre moi, que je n'en valais pas la peine. Je savais bien pourquoi il s'était retenu. Il avait pensé que je ne serais pas utilisable s'il me défigurait.

» Après ça, je ne l'ai plus vu beaucoup. Il quittait souvent Sofia. Il ne me racontait pas où il allait et je ne le lui demandais pas. Mais je savais qu'il s'était fait des amis importants. Une fois, la police lui a cherché des histoires pour ses papiers. Il a ri et dit que la police ne pouvait rien contre lui.

» Un matin, il est arrivé chez moi très agité. Il paraissait avoir voyagé toute la nuit et ne s'être pas rasé depuis des jours. Je ne l'avais jamais vu aussi nerveux. Il m'a prise par les poignets et m'a ordonné de dire que j'avais passé les trois jours précédents avec lui, si on m'interrogeait. Il a couché dans ma chambre.

» Personne ne m'a interrogée. J'ai lu dans les journaux qu'il y avait eu un attentat manqué contre Stamboulitsky à Haskovo et j'ai tout deviné. J'avais drôlement peur. Un vieil ami, que je connaissais d'avant Dimitrios, m'offrait un appartement. Après que Dimitrios fut parti, j'ai été chez mon ami et j'ai dit que je prendrai l'appartement.

» J'étais pas fière quand j'ai dit à Dimitrios que je voulais le quitter. Il ne s'est pas mis en colère, comme je m'y attendais. Il a dit que c'était le mieux pour moi. Je ne savais pas ce qu'il pensait au fond, car il me regardait encore comme le docteur qui va faire mal. J'ai eu le courage de lui rappeler que nous étions en compte. Il a été d'accord et il m'a donné rendez-vous à trois jours de là pour m'apporter l'argent qu'il me devait.

Elle se tut et regarda les deux hommes, un léger sourire aux lèvres :

— Ça vous étonne, hein, que j'aie fait confiance à Dimitrios ? C'était parce que j'avais peur. Si je me méfiais de lui, je me rappelais ma peur. Tous les hommes peuvent être dangereux, comme les animaux dressés d'un cirque quand ils se souviennent trop. Dimitrios était différent. On voyait dans ses yeux bruns qu'il n'avait aucun des sentiments qui rendent les hommes ordinaires apprivoisés ; il était constamment dangereux. J'avais confiance en lui parce que je n'avais pas le choix. Mais je le haïssais aussi.

» Il ne vint pas au rendez-vous. Des semaines plus tard, il me fixa un autre rendez-vous dans un café de la rue Perotska, un endroit louche que je n'aimais pas. Il me dit qu'il avait des difficultés et qu'il ne pouvait pas me payer. Bientôt, il toucherait une grosse somme. Je n'aurais pas à le regretter. Je me demandais pourquoi il était venu pour me dire ça. Et puis il m'a demandé un service. Un de ses amis, un Turc nommé Talaat, voulait envoyer à Sofia des lettres chez quelqu'un de confiance. S'il pouvait le faire à mon adresse, Dimitrios viendrait chercher les lettres et me paierait en même temps.

» Je ne pouvais pas refuser. C'était une chance de toucher mon argent. Mais je savais, et Dimitrios savait aussi, qu'il pouvait prendre les lettres sans me verser un sou. Et je n'aurais rien pu faire d'autre.

» On était en train de boire du café, car Dimitrios était très avare, quand la police est arrivée pour un contrôle d'identité. C'était fréquent, à l'époque. Mais c'était embêtant d'être trouvé dans ce café qui avait mauvaise réputation. Dimitrios avait des papiers en règle. La police releva quand même son nom parce qu'il était étranger et le mien parce que j'étais avec lui. Il était furieux, surtout parce que les autorités savaient maintenant qu'il me connaissait. Il dit qu'il s'arrangerait autrement pour les lettres. Et puis il est parti et c'est la dernière fois que je l'ai vu.

Elle avala d'un trait son curaçao. Latimer s'éclaircit la gorge :

— Vous n'avez plus entendu parler de lui ?

Elle le regarda d'un air soupçonneux. Il ajouta en hâte :

— Dimitrios est mort, madame. Quinze ans ont passé.

— Dimitrios est mort, madame, répéta-t-elle avec un sourire rêveur. C'est drôle à entendre ! Difficile à croire ! A quoi ressemblait-il, quand vous l'avez vu mort ?

— Il avait les cheveux gris. Il portait des vêtements achetés en Grèce et en France. Très bon marché.

Inconsciemment, il avait repris les mots du colonel Haki.

— Il n'est pas devenu riche, alors ?

— Il l'a été, autrefois, à Paris. Il a perdu son argent.

— Il a dû bien souffrir.

Elle rit, puis le soupçon revint :

— Vous en savez long sur Dimitrios. S'il est mort, je ne comprends pas...

— Mon ami est écrivain, madame, coupa Maroukakis. Il s'intéresse à la nature humaine.

— Qu'est-ce que vous écrivez ?

— Des *romans policiers.*

— Bah ! Ce n'est pas la peine de connaître la nature humaine pour écrire ça. Les romans d'amour, c'est différent. Moi, je trouve que *Folle Farine* est une charmante histoire. Vous l'aimez ?

— Beaucoup.

— Je l'ai lue dix-sept fois. C'est le meilleur livre de Ouida et je les ai tous lus. Un de ces jours, il faudra que j'écrive mes Mémoires. La nature humaine, moi, j'en connais un bout !

Son sourire se fit moqueur.

— Vous voulez en savoir plus sur Dimitrios. Bon. J'ai reçu un jour une lettre de lui, postée à Andrinople. Il donnait une adresse *poste restante.* Il demandait si j'avais eu des nouvelles de Talaat. Si oui, il fallait que je le lui écrive et que je garde les lettres. Et que je ne dise à personne qu'il m'avait écrit. Il me promettait de me payer l'argent qu'il me devait. J'ai répondu que je n'avais pas de lettres de Talaat. Et que j'avais besoin de l'argent parce que j'avais perdu tous mes amis depuis qu'il était parti. C'était un mensonge. Mais j'espérais qu'il m'enverrait peut-être l'argent si je le flattais. J'aurais dû mieux connaître Dimitrios. Il n'a même pas répondu.

» Peu après, une sorte de *fonctionnaire* est venu me voir. Bien habillé, très sérieux, le genre homme d'affaires. Il a dit que la police allait probablement m'interroger sur Dimitrios.

» Il a dit que je ne devais pas avoir peur et répéter soigneusement ce qu'il me dirait. Comment je devais décrire Dimitrios pour satisfaire la police, et tout. Je lui ai montré la lettre d'Andrinople. Ça a semblé l'amuser. Je pouvais en parler à la police, mais je devais cacher à tout prix le nom de Talaat. La lettre était dangereuse et il fallait la brûler, ce qu'il a fait. J'étais en colère. Mais il m'a donné mille leva. Il m'a demandé si j'aimais Dimitrios. J'ai dit que je le haïssais. Il a dit que l'amitié était une grande chose et qu'il me donnerait cinq mille leva si je m'en tirais bien avec la police.

» Cinq mille leva, messieurs ! Ça devenait sérieux. Le lendemain, la police m'a questionnée et j'ai dit ce qui était convenu. Le jour suivant, j'ai reçu une enveloppe contenant un billet de cinq mille leva, sans rien d'autre dedans. C'était régulier. Et puis, deux ans plus tard, j'ai rencontré le type dans la rue. Je l'ai abordé. Le *salop* a prétendu qu'il ne m'avait jamais vue et il a appelé la police. L'amitié est une grande chose.

Elle haussa les épaules, referma le secrétaire :

— Jésus ! il faut que j'aille voir ce qui se passe en bas. Si vous voulez bien m'excuser, messieurs. Qu'est-ce que j'ai parlé ! Vous voyez, je ne sais rien d'intéressant sur Dimitrios.

— Vous nous avez beaucoup intéressés, madame.

— J'ai des choses plus intéressantes que Dimitrios à vous offrir, croyez-moi. Tenez, j'ai deux filles très amusantes qui...

— Nous sommes assez pressés, madame. Ce sera pour une autre fois. Permettez-nous de régler nos consommations, je vous en prie.

De tentateur, son sourire devint franchement chaleureux :

— Comme vous voulez. Non, non, ne sortez pas d'argent dans mon appartement, je suis superstitieuse. Voyez le garçon à votre table, s'il vous plaît. Excusez-moi de ne pas vous raccompagner. J'ai une petite chose à faire. *Au 'voir, monsieur. Au 'voir, monsieur. A bientôt.*

Les yeux humides et sombres les suivirent d'un regard affectueux. Latimer se sentait absurdement déprimé de partir.

Le *gérant* vint en personne lorsqu'ils demandèrent l'addition. Il dit d'un ton allègre :

— Onze cents leva, messieurs.

— Quoi !

— Le prix convenu avec madame.

— Entre nous, remarqua Maroukakis pendant qu'ils attendaient leur monnaie, on est injustes avec Dimitrios. Il n'avait pas toujours tort.

— Bref, le Crédit Eurasien, représenté par Vazoff, a employé Dimitrios pour participer à l'élimination de Stamboulitsky. On ne saura jamais comment il a été recruté et c'est dommage. Il a dû être bien noté, puisqu'il a travaillé ensuite à Andrinople. Là, il se faisait probablement appeler Talaat.

— Cela, la police turque l'ignorait, dit Latimer. Pourquoi Vazoff, car c'est évidemment lui qui s'est occupé de la Preveza, a-t-il permis à la police bulgare de connaître l'existence de la lettre ?

— Parce que Dimitrios n'y était plus, évidemment.

Maroukakis étouffa un bâillement.

— Curieuse soirée !

Ils étaient arrivés devant l'hôtel de Latimer. Le froid était vif.

— Je pars demain, dit l'Anglais.

— Vous quittez Sofia ?

— Pour Belgrade, oui.

— Toujours curieux ?

— Eh oui ! Je ne saurais vous dire combien je vous suis reconnaissant. Je vous ai fait perdre votre temps d'une façon impardonnable.

Maroukakis éclata de rire en s'excusant d'un geste :

— Je riais de moi-même, figurez-vous. Je vous envie votre Dimitrios. J'aimerais que vous m'écriviez si vous en apprenez davantage à Belgrade.

— Je vous le promets. Et... j'espère que nous nous reverrons, Maroukakis.

— J'en suis sûr. Bon voyage, ami.

Ils se serrèrent la main. Latimer rentra, prit sa clé et monta les deux étages. Il trouva sa chambre, marchant sur l'épais tapis qui étouffait le bruit de ses pas. Il ouvrit la porte. Un instant, il crut s'être trompé. La pièce était éclairée et en plein chaos. Mais il reconnut le contenu de ses valises éparpillé sur le sol. Les draps étaient jetés au pied du lit et le matelas couvert de livres déchirés. On aurait dit qu'une bande de chimpanzés s'étaient déchaînés dans la chambre.

Ahuri, il avança. Un bruit léger lui fit tourner la tête. Son cœur se crispa douloureusement.

Devant la porte de la salle de bains, un tube de dentifrice éventré dans une main, dans l'autre un gros automatique Lüger, aux lèvres un sourire doux et triste, se tenait M. Peters.

VII

# Un demi-million de francs

Dans un seul de ses romans, *les Armes du crime,* Latimer avait décrit les sensations d'un personnage menacé par un meurtrier armé. Il avait trouvé la tâche difficile. Si la situation n'avait pas été nécessaire, et située à l'avant-dernier chapitre, où un peu de mélodrame est tolérable, il se serait donné du mal pour l'éviter. Du moins, il s'était efforcé de s'en sortir intelligemment. Quelles seraient mes propres réactions, s'était-il demandé, en pareilles circonstances ? Il avait conclu qu'il serait paralysé et muet de peur.

Il n'était en ce moment ni l'un ni l'autre. Sans doute parce que les circonstances étaient différentes. L'attitude de M. Peters n'était pas vraiment menaçante : il tenait son pistolet comme un poisson mouillé. Pour autant que Latimer le sache, il n'était pas un meurtrier. Enfin, l'écrivain l'avait déjà rencontré et l'avait trouvé ennuyeux. C'était, illogiquement, un fait rassurant.

S'il n'était ni paralysé ni muet, il était par contre stupéfait. Il ne sut donc pas prononcer le « Bonsoir » nonchalant ou le « Quelle charmante surprise ! » recommandés chez les meilleurs auteurs. Il fit un « Oh ! » stupide puis, en une dérobade involontaire : « Il est arrivé quelque chose. »

M. Peters prit son pistolet bien en main :

— Soyez assez aimable pour fermer la porte. En tendant le bras, vous pouvez y arriver sans bouger les pieds.

Latimer obéit. Maintenant, il avait peur. Beaucoup plus que son personnage de roman. Il avait peur de souffrir ; il sentait déjà le médecin fouillant sa blessure. Il avait peur que M. Peters ne soit pas entraîné au maniement des armes à feu et qu'il tire accidentellement. Il avait peur de remuer trop vite et que le mouvement soit mal interprété. La porte se ferma. Il se mit à trembler de la tête aux pieds, de colère, de peur ou du choc. Soudain, il se décida à dire quelque chose :

— Qu'est-ce que ça signifie, nom de Dieu ?

Ce n'était pas ce qu'il voulait dire et il jurait rarement. Il jugea que c'était en fin de compte la colère qui le faisait trembler. Il regarda férocement M. Peters.

Le gros homme abaissa son pistolet et s'assit sur le bord du matelas :

— C'est malheureux, dit-il d'un ton chagrin. Je ne pensais pas que vous seriez de retour si tôt. Votre *maison close* a dû être une déception. Les inévitables Arméniennes, naturellement ; vite fatigantes. Je songe souvent que ce monde où nous vivons serait meilleur, plus beau, si...

Il s'interrompit :

— Nous parlerons de cela une autre fois.

Il posa soigneusement les restes du tube de dentifrice sur la table de nuit.

— J'avais l'intention de ranger avant de partir.

Latimer essaya de gagner du temps :

— Y compris les livres, monsieur Peters ?

— Ah, oui, les livres !

Il hocha la tête avec accablement.

— Un acte de vandalisme, si, si ! Un livre est une chose de beauté, un jardin plein de fleurs magnifiques, un tapis magique qui vous ravit sur les cimes. Je suis navré. C'était nécessaire.

— Qu'est-ce qui était nécessaire ? De quoi diable parlez-vous ?

M. Peters eut un sourire de martyr :

— Un peu de franchise, monsieur Latimer, je vous en supplie. Il n'y a qu'une seule raison de fouiller votre chambre et vous la connaissez aussi bien que moi. Je comprends votre incertitude, évidemment. Vous vous demandez où j'en suis exactement. Si ça peut vous faire plaisir, je me demande avec une incertitude égale où vous en êtes, *vous.*

C'était fantastique. Dans son exaspération, Latimer oublia la peur. Il respira profondément et sentit un afflux de force :

— Ecoutez, monsieur Peters, ou qui que vous soyez. Je suis fatigué et je veux me coucher. Si mes souvenirs sont bons, j'ai voyagé en votre compagnie d'Athènes à Sofia, il y a quelques jours. Vous alliez, m'avez-vous dit, à Bucarest. Je me suis arrêté à Sofia. J'ai passé la soirée avec un ami. Je rentre à mon hôtel pour trouver ma chambre saccagée, mes livres déchirés et vous en train de me mettre un pistolet sous le nez. Je conclus que vous êtes soit un voleur, soit un ivrogne. Sans votre pistolet qui, je l'avoue, m'inquiète, j'aurais déjà sonné le valet de chambre. Mais il me vient à l'idée que les voleurs ne rencontrent pas leur victime dans les wagons-lits et que vous ne paraissez pas ivre. Je commence donc à me demander si vous n'êtes pas fou. Si vous l'êtes, il ne me reste qu'à essayer de ne pas vous exciter. Si vous ne l'êtes pas, j'attends une explication. En un mot, monsieur Peters : qu'est-ce que ça signifie ?

Le visage du gros homme exprimait une nuance nouvelle du sentiment mystique : l'extase.

— Parfait ! Absolument parfait ! Non, monsieur Latimer, restez à l'écart du cordon de sonnette. Savez-vous que vous m'avez presque convaincu de votre sincérité ? Presque. Ce n'est pas bien de me tromper. Pas gentil du tout, et quelle perte de temps !

Latimer fit un pas en avant :

— J'en ai assez...

Le Lüger se redressa. M. Peters ne souriait plus. Les lèvres molles pendaient. Il avait l'air à demi crétin et très dangereux. Latimer s'immobilisa. Lentement, le sourire se reforma :

— Allons, un peu de franchise. Je n'ai que les meilleures intentions à votre égard. Je n'ai pas souhaité cette entrevue. Mais puisque vous êtes revenu, tout à fait à l'improviste, puisque je ne peux plus vous rencontrer sur les bases de, mettons, l'amitié désintéressée, parlons à cœur ouvert. Pourquoi vous intéressez-vous à Dimitrios ?

— Dimitrios !

— Oui, cher monsieur Latimer, Dimitrios. A Athènes, vous cherchiez son dossier dans les Archives municipales. A Sofia, vous avez employé un agent pour retrouver sa trace. Pourquoi ? Ne répondez pas trop vite. Je n'ai aucune animosité à votre égard, je le répète. Mais il se trouve que je suis moi aussi intéressé par Dimitrios. En conséquence, vous m'intéressez. Alors, dites la vérité. Quel est, pardonnez-moi l'expression, quel est votre jeu ?

Latimer resta silencieux, essayant en vain de comprendre. Il avait considéré Dimitrios comme sa propriété personnelle, comme un sujet d'étude académique, aussi désintéressé que l'identification d'un auteur anonyme du XVIe siècle. Et voici que l'odieux Peters, avec son sourire, son charabia spiritualiste et son Lüger, demandait des explications comme si lui, Latimer, était un concurrent dans une affaire louche. Mais, en somme, ce n'était pas étonnant. Les relations de Dimitrios n'étaient pas mortes en même temps que lui. Pourtant...

— Alors, monsieur Latimer ?

Le sourire n'avait rien perdu de sa suavité. Il y avait cependant une dureté dans la voix qui donnait le frisson.

— Si je dois répondre à vos questions, monsieur Peters, j'ai le droit d'en poser quelques-unes. Autrement dit : quel est *votre* jeu ? Je n'ai rien à cacher, mais j'ai des curiosités à satisfaire. Et rangez votre pistolet. Il doit faire beaucoup de bruit. Il peut vous protéger d'une arrestation, certainement. Ce n'est pas un argument si nous sommes d'accord pour parler. Vous ne gagnerez pas grand-chose en tirant sur moi.

— Bien dit, monsieur Latimer, bien dit. Je garderai tout de même mon pistolet pour le moment.

— Si ça vous amuse ! Me direz-vous ce que vous espériez trouver ici, dans la reliure de mes livres et dans un tube de dentifrice ?

— Une réponse à mon problème, monsieur Latimer. Je n'ai trouvé que ça.

Il sortit de sa poche la table chronologique que Latimer avait établie à Smyrne et qu'il avait laissée dans un de ses livres.

— Je me suis dit, continua le gros homme, que si vous cachiez cette liste entre les pages, vous cachiez également des documents plus instructifs dans les reliures.

— Je ne voulais pas la cacher.

M. Peters ne répondit pas. Il tenait délicatement le papier, comme un maître d'école discutant le devoir d'un enfant :

— C'est tout ce que vous savez de Dimitrios, monsieur Latimer ?

— Non.

— Ah ! Qui est ce colonel Haki, qui semble si informé et si indiscret ? Le nom est turc. Le pauvre Dimitrios nous a été enlevé à Istanbul, n'est-ce pas ? Et vous êtes venu d'Istanbul, non ?

Latimer approuva involontairement. Il se serait battu, car le sourire de M. Peters s'épanouit :

— Merci, vous êtes très aimable. Voyons. Vous étiez à Istanbul, comme Dimitrios et le colonel Haki. Il y a une note sur un passeport au nom de Talaat. Un autre nom turc. Et Andrinople. « Kemal att. » signifie attentat contre Kemal. Bien. On dirait que vous avez lu un dossier de police turc. C'est ça ?

Latimer se sentait ridicule :

— Vous n'irez pas loin de cette façon. Vous oubliez que vous me devez une question pour une réponse. Par exemple, je voudrais savoir si vous avez connu Dimitrios.

M. Peters contempla l'Anglais un long moment :

— Vous n'êtes pas très sûr de vous-même, n'est-ce pas, monsieur Latimer ? Je crois que je peux vous en apprendre plus que vous ne pouvez m'en dire.

Il glissa le Lüger dans sa poche de pardessus et se leva.

— Il faut que je m'en aille.

Latimer ne s'attendait pas à cette péripétie et, au fond, ne la souhaitait pas. Il dit cependant, avec assez de calme :

— Bonne nuit.

Le gros homme marcha vers la porte. Il s'arrêta et Latimer l'entendit murmurer pensivement : « Istanbul, Smyrne, Athènes, Sofia, Andrinople... non. » Il hésita, puis :

— Vous avez bien l'intention de vous rendre à Belgrade, monsieur Latimer ?

Celui-ci ouvrit la bouche pour affirmer qu'il n'avait absolument pas cette intention, mais le sourire triomphant de M. Peters lui fit comprendre que ce n'était pas la peine de se fatiguer.

— Vous aimerez Belgrade. Une si belle ville ! Le panorama du Terazija et du Kalemegdan ! Magnifiques ! Et vous devez aller à Avala. Ah, je voudrais vous accompagner ! Les filles sont si belles ! Gracieuses, avec des pommettes hautes. Un jeune homme tel que vous leur plaira. Moi, ces choses ne m'intéressent plus. Je suis une âme simple et je vieillis. Cependant, j'ai mes souvenirs et je ne désapprouve pas la jeunesse. L'Etre suprême a sûrement voulu nous accorder autant de bonheur qu'il est compatible avec Sa haute sagesse.

Latimer débarrassa une chaise et s'assit. La colère difficilement contenue stimulait son raisonnement :

— Monsieur Peters, j'ai examiné à Smyrne certains dossiers de police. J'ai découvert qu'ils avaient été consultés trois mois auparavant par une autre personne. Je me demande si ce n'était pas vous.

Les yeux larmoyants du gros homme fixaient l'infini. Ils revinrent à Latimer, lourds de réflexion :

— Excusez-moi ?

Latimer répéta sa question. M. Peters secoua la tête :

— Non, ce n'était pas moi.

— Mais vous étiez à Athènes. C'est vous qui êtes entré dans le bureau des archives pendant que j'interrogeais le fonctionnaire. Vous êtes parti précipitamment quand vous m'avez entendu parler de Dimitrios. Et ce n'est pas par hasard que nous nous sommes rencontrés dans le train. Vous avez appris de moi, habilement, je l'admets, le nom de mon hôtel. Exact ?

Le sourire de M. Peters était plus radieux que jamais :

— Oui. Je sais tout ce que vous avez fait depuis que vous avez quitté ce bureau. Comme je vous l'ai dit, je m'intéresse à ceux que Dimitrios intéresse. Naturellement, vous avez découvert qui vous avait précédé à Smyrne ?

Le ton de cette dernière phrase était un peu trop indifférent.

— Non, monsieur Peters.

— Mais cela vous intrigue ?

— Pas beaucoup.

— Je ne crois pas que vous soyez franc avec moi. Ce serait tellement mieux si...

— Oh, écoutez, coupa brutalement Latimer. Je vais être franc. Ça suffit comme ça. Je vous ai offert d'échanger les questions. Jusqu'à maintenant, vous n'avez répondu qu'à celles que j'avais déjà devinées. Je veux savoir pourquoi vous vous intéressez à un mort. Vous prétendez en savoir plus que moi. C'est possible. Mais j'ai idée, monsieur Peters, qu'il est plus important pour vous que pour moi d'apprendre ce que sait l'autre. Pénétrer par effraction dans une chambre n'est pas une chose que l'on fait par vague curiosité. Honnêtement, j'ignore pourquoi vous vous occupez de Dimitrios. Je commence tout de même à soupçonner une excellente raison : vous espérez que Dimitrios a caché quelque part l'argent qu'il avait gagné à Paris. Eh bien, vous vous trompez. Dimitrios est mort pauvre. Il n'y avait à côté de son cadavre, à la morgue, qu'un ballot de vêtements bon marché. Quant à la possibilité que...

L'expression de M. Peters était si étrange que Latimer n'acheva pas sa phrase :

— Qu'y a-t-il ?

— Dois-je comprendre, dit le gros homme lentement, que vous avez vu le cadavre de Dimitrios à la morgue ?

— Oui, pourquoi ?

M. Peters ne répondit pas. Il prit un de ses petits cigares et l'alluma avec minutie. Puis il se mit à marcher de long en large, le visage si concentré qu'il paraissait souffrir :

— Monsieur Latimer, nous devons absolument cesser de nous quereller. Il est essentiel que je sache ce que vous cherchez. Non, ne m'interrompez pas. Je reconnais que j'ai plus besoin de votre réponse que vous n'avez besoin de la mienne. Malheureusement, je ne peux pas vous la donner à présent. Oui, oui, bien sûr. Ecoutez-moi, je vous en prie. Nous savons que vous voulez partir pour Belgrade. Je peux vous dire que vous allez perdre votre temps. Dimitrios n'est pas revenu dans cette ville après 1926. Qu'est-ce que vous souhaitez apprendre ? Vous ne me le direz pas ? Bon. Moi, je peux vous assurer que vous ne trouverez aucune trace de Dimitrios à Belgrade. Qui plus est, vous risquez de sérieux ennuis avec les autorités yougoslaves. Un seul homme pourrait, et voudrait dans certaines circonstances, vous renseigner. C'est un Polonais. Il habite près de Genève. Alors, je vais vous aider. Je vais vous donner son nom et une lettre d'introduction. Mais je dois savoir pourquoi vous désirez ces informations. J'ai cru d'abord que vous travailliez pour la police turque. Il y a tant d'Anglais dans les services secrets du Proche-Orient ! Je ne le crois plus. Votre passeport vous décrit comme un écrivain. C'est un terme très élastique. Qui êtes-vous, monsieur Latimer, et quel est votre jeu ?

Il attendit. Latimer le regarda avec ce qu'il espérait être une physionomie impénétrable.

— Naturellement, quand je vous demande quel est votre jeu, je l'entends en un sens précis. Votre jeu, c'est évident, est l'argent. Etes-vous riche, monsieur Latimer ? Non ? Alors, ça simplifie les choses. Je vous propose une alliance, une mise en commun de nos ressources. Je détiens certains faits. Vous possédez une information importante. Vous ne mesurez pas son importance, mais je vous la garantis. Mes faits en eux-mêmes ne valent pas grand-chose. Votre information isolée est sans aucune valeur. Réunis, ils valent... au bas mot... — il se gratta le menton — un million de francs français, cinq mille livres anglaises[1]. Qu'en dites-vous ?

— Vous m'excuserez, dit Latimer froidement. Je ne comprends rien à votre histoire. Et elle m'est complètement égale. Je suis fatigué, monsieur Peters, très fatigué. Je veux me coucher.

Il ramassa les draps et se mit à refaire son lit.

— Si vous voulez savoir pourquoi je m'intéresse à Dimitrios, je vais vous le dire. Ça n'a rien à voir avec l'argent, au contraire. Je suis auteur de romans policiers. J'ai rencontré par pur hasard un haut fonctionnaire de la police turque. Notre conversation est venue, par hasard, sur un criminel trouvé mort dans le Bosphore. En partie pour me distraire, comme on fait des mots croisés, en partie pour m'essayer au métier de détective dont je parle dans mes romans, j'ai eu envie de reconstituer l'histoire de ce Dimitrios. C'est tout. Je ne m'attends pas à ce que vous compreniez. Vous vous demandez probablement pourquoi je n'invente pas une explication plus convaincante. Tant pis. Si vous n'aimez pas la vérité, allez vous faire cuire un œuf.

M. Peters tira une longue bouffée de son cigare :

— *Des romans policiers !* C'est captivant ! Je les adore, monsieur Latimer. Voudriez-vous me donner quelques-uns de vos titres ?

Latimer obéit en repêchant ses oreillers.

— Et quel est votre éditeur ?

— Anglais, américain, français, suédois, norvégien, néerlandais ou danois ?

— Hongrois, s'il vous plaît.

Latimer le dit. M. Peters hocha la tête avec approbation :

— Une firme de premier ordre.

Il parut prendre une décision.

— Avez-vous une plume et du papier ?

Latimer indiqua d'un geste la table près de la fenêtre.

1. Approximativement : cinq cent mille francs 1966 et trente-cinq mille livres.

Le gros homme s'assit et se mit à écrire. Quand il se releva, il suait la bonne volonté par tous les pores.

— Voici trois papiers, monsieur Latimer. Un, l'adresse de cet homme qui habite près de Genève. Son nom est Grodek, Ladislas Grodek. Deux, une lettre pour lui. Si vous la lui présentez, il saura que vous êtes mon ami et qu'il peut parler à cœur ouvert. Je précise qu'il a été autrefois le plus brillant agent professionnel d'Europe. Plus de secrets militaires ont passé entre ses mains qu'entre celles de tout autre homme. Il a travaillé pour de nombreux gouvernements. Son quartier général était à Bruxelles. Aujourd'hui, il s'est retiré fortune faite. Pour un écrivain, il sera d'un immense intérêt. Il vous plaira. C'est un grand ami des animaux. Un homme charmant, *au fond.* C'est lui qui a employé Dimitrios en 1926.

— Je vois. Merci beaucoup. Et le troisième document ?

Le sourire de M. Peters eut une nuance de satisfaction et d'optimisme :

— Vous n'êtes pas riche.

— Non.

— Un demi-million de francs vous serait utile ?

— Sans aucun doute.

— Alors, quand vous serez fatigué de Genève, je vous offre l'occasion de... comment dites-vous ?... ah oui, de tuer deux oiseaux avec la même pierre.

Il tira de sa poche la liste chronologique.

— Les informations postérieures à 1926 se trouvent à Paris, d'une part. D'autre part, si vous me rejoignez à cette adresse, si vous acceptez l'alliance que je vous ai proposée, je vous garantis que vous serez en possession quelques jours plus tard d'au moins un demi-million de francs.

— J'aimerais que vous soyez plus explicite, dit Latimer avec irritation. Un demi-million de francs pour faire quoi ? Qui paiera ? Vous êtes trop mystérieux, monsieur Peters ; beaucoup trop mystérieux pour être honnête.

Le sourire se durcit, mais sans s'effacer : le martyr supportait d'une âme égale les atteintes du sort et des hommes :

— Je sais que vous ne me croyez pas, dit-il doucement. Voilà pourquoi je vous ai livré l'adresse de Grodek. Je vous donne la preuve de ma bonne volonté, de ma confiance. Je ne peux pas en dire davantage maintenant. Lorsque vous aurez enfin compris que je suis digne de foi, venez à Paris. Je vous expliquerai tout. C'est parfaitement simple. Ah ! ne vous rendez pas en personne à l'adresse de Paris. C'est celle d'un ami qui me transmet mon courrier. Envoyez un *pneumatique* avec votre propre adresse. Je prendrai contact.

Il était temps, décida Latimer, de se débarrasser de M. Peters :

— Tout cela est bien bizarre. Ne tenez pas mon acceptation pour acquise. Je n'étais pas certain d'aller à Belgrade. Quant à partir pour Genève et Paris, c'est encore une autre question. J'ai du travail, figurez-vous, des engagements à respecter, et...

— Certes, certes !

M. Peters boutonnait son pardessus.

— Mais si vous trouvez le temps de le faire, envoyez-moi ce *pneumatique*. Je vous ai dérangé. Il est juste de vous offrir une compensation. Un demi-million, ce ne serait pas mal, hein ? Je serais si heureux de vous prouver mon amitié, mon souci de vos intérêts, de votre bonheur. Ah ! mon cher Latimer, la vie est si difficile. Nous sommes des fleurs, tendant notre frêle tige vers le soleil du bonheur, de la confiance mutuelle. Ce serait si merveilleux de rejeter le manteau de mensonge et d'hypocrisie qui pèse sur nos épaules. Oui, mensonge, hypocrisie. Personne n'est innocent. Je suis aussi coupable que les autres. Le mensonge, la méfiance font perdre tant de temps, et la vie est si courte ! Nous ne faisons que traverser cette existence avant que l'Etre suprême nous rappelle à lui.

Il poussa un gros soupir.

— Vous comprenez ces choses, vous qui êtes écrivain. Vous pouvez les exprimer bien mieux que moi.

Il tendit la main.

— Bonsoir, monsieur Latimer. Je ne dis pas : Adieu.

Latimer prit la main sèche et très douce :

— Bonsoir.

A la porte, le gros homme se retourna :

— Un demi-million procure beaucoup d'agrément. J'espère vraiment que nous nous retrouverons à Paris.

— Je l'espère aussi. Bonne nuit.

Seul, Latimer regarda autour de lui avec incrédulité. Il semblait à son imagination dépassée que le sourire de M. Peters continuait à flotter dans la pièce, comme celui du Chat du Cheshire. Dehors, il faisait presque jour. Le travail de tout remettre en ordre pouvait attendre. Il jeta ses vêtements et se glissa dans le lit.

Il essaya en vain de penser, d'arranger ses idées, de former des opinions. Mais il avait l'impression d'être sous l'effet d'une drogue. M. Peters était écœurant. Moins, peut-être, que ce maquereau de Dimitrios. « Les yeux d'un docteur qui va vous faire mal. » Il y avait un monde d'horreur dans cette phrase. Le monde de Mme Preveza. Quel était le jeu de Peters ? Il fallait le savoir. Il devait réfléchir intelligemment. Il y avait tant de choses à comprendre. Un demi-million de francs...

Soudain, il tomba comme verticalement dans le sommeil.

VIII

# Grodek

Il était onze heures lorsque Latimer, demi-éveillé depuis un moment, ouvrit les yeux. Les trois papiers de M. Peters étaient sur la table de nuit, rappel désagréable qu'il fallait penser et prendre des décisions. Sans cela et le désordre de la pièce, Latimer aurait chassé les souvenirs de la veille comme un cauchemar. Mais M. Peters, ses mystères, ses menaces, ses allusions absurdes à un demi-million de francs, ses sous-entendus, n'étaient pas faciles à oublier.

Le premier papier contenait cette adresse :

Ladislas Grodek
Villa des Acacias
Chambésy
(à 7 km de Genève)

L'écriture était contournée et peu lisible. Le chiffre 7 avait une barre transversale à la mode française. Le second papier, la lettre avait dit M. Peters, consistait en six lignes d'une langue que Latimer estima être du polonais. Elle commençait par « Cher Grodek », semblait-il, et était signée d'une initiale indéchiffrable. Au milieu de la deuxième ligne, son propre nom était orthographié avec une sorte d'Y au lieu du I.

Il soupira. Certes, il pouvait porter la chose à un bureau de traduction. Mais M. Peters y avait sûrement pensé et tourné la lettre de façon à ne pas se trahir. Le fait qu'il était en bons termes avec un professionnel de l'espionnage était un indice important. Aussi, qu'il fouillait des chambres d'hôtel, brandissait un pistolet, évoquait une récompense énorme en contrepartie de services non spécifiés. Seulement, ces indices conduisaient à quoi ?

Latimer essaya de revivre mentalement l'entrevue. Plus il se souvenait, plus sa conduite lui paraissait stupide. Il s'était laissé intimider par une arme dont le gros homme n'aurait pas osé se servir (encore que ce fût plus facile à supposer maintenant que l'un et l'autre n'étaient plus là). Il s'était laissé entraîner dans une discussion, au lieu d'appeler la police. Pire que tout, il avait permis à ce cambrioleur de partir, laissant derrière lui une lettre, deux adresses et un nuage de questions sans réponses. C'était incroyable ! Il aurait dû saisir M. Peters à la gorge et le forcer à s'expliquer. Oui, le forcer ! Le drame de la mentalité académique, songea-t-il, est qu'elle néglige les ressources de la violence jusqu'au moment où la violence n'est plus utile.

L'autre adresse était :

M. Peters
aux bons soins de Caillé
3, impasse des Huit-Anges
Paris VI$^{e}$

Elle reconduisait au point de départ : pourquoi, au nom de toute raison, M. Peters voulait-il le faire venir à Paris ? Quelle information valait tant d'argent ? Qui paierait ?

A quel point de la conversation Peters avait-il changé soudain de tactique ? Oui, c'était lorsqu'il avait appris que Latimer avait vu Dimitrios à la morgue. Pourtant, cela n'avait pas d'importance en soi ! Est-ce que l'allusion au « trésor » de Dimitrios...

Il claqua les doigts. Evidemment ! C'était idiot de ne pas l'avoir compris tout de suite ! Le fait important que Peters avait ignoré était que Dimitrios n'était pas mort naturellement ; qu'il avait été *assassiné*.

L'intérêt du colonel Haki pour le passé du criminel grec avait fait perdre de vue deux facteurs essentiels : un, que le meurtrier était inconnu et vivant ; deux, qu'il avait eu un motif.

Un meurtrier et un motif. Le motif ne pouvait être que l'argent. Quel argent ? Celui qui provenait du trafic de drogue ; celui qui avait si bizarrement disparu. De ce point de vue, la somme d'un million de francs à partager n'était pas si invraisemblable. Quant au meurtrier, pourquoi pas M. Peters lui-même ? On l'imaginait fort bien dans ce rôle. Et qu'avait-il dit dans le train ? « Si l'Etre suprême veut que l'on fasse des choses déplaisantes, il a peut-être des desseins qui nous restent impénétrables... » ou quelque chose d'équivalent. C'était une justification du meurtre en général ; et du meurtre de Dimitrios en particulier. On imaginait sans peine les lèvres molles prononçant les mots pendant que le doigt pressait la détente du Lüger.

Le sourire de Latimer, qui se formait en cet instant où il croyait avoir reconstruit une explication satisfaisante, se figea. Dimitrios n'avait pas été tué d'une balle. Il avait été poignardé. Pouvait-on imaginer Peters maniant un poignard ? Non, assez mal. Et, en somme, il n'y avait aucune raison solide de supposer qu'il était l'assassin. De plus, qu'il le soit n'expliquait rien. Ni la relation (s'il y en avait une) entre la fortune de Dimitrios et le demi-million de francs (s'il existait) ; ni l'importante information qu'il possédait à son insu ; ni la nécessité d'une rencontre à Paris alors que la mise en commun de leurs ressources pouvait se faire à Sofia. Latimer sortit du lit et se prépara un bain ; il avait l'impression de devoir résoudre une équation du deuxième degré comportant plus de deux inconnues.

Trempant dans l'eau chaude à légère odeur de rouille, il ramena le problème à l'essentiel. Rentrerait-il à Athènes pour travailler à son roman, en oubliant Dimitrios, Peters et Maroukakis ? Ou irait-il à Genève, pour voir Grodek (si Grodek il y avait) en remettant à plus tard la décision de se rendre à Paris ?

La première solution était la seule sensée. La justification de l'affaire était une expérience d'enquête criminelle.

Il ne fallait pas que cette expérience devienne une obsession. Puis il avait déjà trouvé pas mal de choses. L'honneur était sauf. Il était grand temps de se remettre au travail. Toute la vérité sur Dimitrios ne compenserait pas un déficit de son compte en banque dans six mois. Quant au demi-million de francs, soyons sérieux ! Oui, il serait à Athènes ce soir même.

D'un autre côté, sans l'intervention de M. Peters, il serait parti pour Belgrade. Etait-il seulement possible d'oublier Dimitrios ? En étant honnête avec lui-même, la réponse était non. Son intérêt pour le criminel mort avait déjà tourné à l'obsession. « Obsession » était un mot hideux : il évoquait le regard fixe du maniaque. Mais le fait demeurait qu'il serait incapable d'écrire en paix, sachant qu'il existait peut-être un certain Grodek, disposé à lui apprendre un nouvel aspect de la carrière de Dimitrios. Et son compte en banque serait-il vraiment déficitaire dans six mois ? Non.

Latimer s'extirpa de la baignoire et se frotta furieusement avec la serviette-éponge, se disant tout haut : « Confortable, très confortable ! Tu as envie d'aller à Genève. Tu ne veux pas travailler. Tu as la flemme et une crise de curiosité aiguë. Tes prétentions à te documenter sur le crime réel, sur un meurtrier qui a vécu au même titre que Proudhon, Montesquieu ou Rosa Luxemburg, à quitter la fiction pour l'histoire, elles ne tiennent pas debout. L'auteur de romans policiers n'a rien à faire avec la réalité. Sauf les détails techniques : balistique, médecine légale, procédure et autres trucs. Alors, arrête de délirer, veux-tu ? »

Il se rasa, s'habilla, fit ses valises, remit un semblant d'ordre, se concentrant sur sa tâche et évitant de penser. Il descendit d'un pas ferme à la réception, demanda au concierge un horaire et trouva la page des trains pour Athènes.

Il la regarda un moment en silence :

— Supposons, dit-il au concierge, que je veuille aller à Genève.

Le second soir de son séjour, Latimer reçut une lettre postée de Chambésy, en réponse à celle qu'il avait envoyée en arrivant à Genève. Grodek écrivait brièvement en français :

Les Acacias.
Vendredi.

« Cher Monsieur,

Je serais heureux de vous avoir à déjeuner demain. A moins d'un contrordre de votre part, mon chauffeur viendra vous prendre à votre hôtel à onze heures trente.

Veuillez agréer mes sentiments distingués.

GRODEK. »

Le chauffeur arriva ponctuellement, salua, conduisit cérémonieusement Latimer à une grosse Bentley chocolat et démarra comme s'il fuyait le lieu d'un crime.

L'écrivain examina pensivement l'intérieur du *coupé de ville.* Les boiseries, les décorations d'ivoire, les coussins moelleux puaient l'argent, beaucoup d'argent, provenant, si M. Peters avait dit vrai, de l'espionnage. D'une façon puérile, il était choqué que ce luxe ne montrât nulle trace de sa sinistre origine. Il se demandait à quoi pouvait ressembler Herr Grodek. Peters disait que c'était un Polonais, un grand ami des animaux et un homme charmant, *au fond.* Cela voulait-il dire que c'était un homme détestable en surface ? Son amour des animaux ne signifiait rien. De grands amis des bêtes sont parfois pathétiques dans leur haine des humains. Un espion professionnel, sans la motivation patriotique, doit-il haïr le monde et l'humanité ? Question stupide !

Ils longèrent sous la pluie grise le côté nord du lac. A Pregny, ils tournèrent à gauche et grimpèrent sur la colline. La voiture quitta la route et cahota souplement dans un chemin étroit entre deux rangées de sapins, jusqu'à une grille de fer. Le chauffeur l'ouvrit, la referma et arrêta la Bentley au sommet d'une allée en lacets raides, devant un gros *chalet.*

Par une percée de la forêt, Latimer pouvait voir les toits d'ardoise, le clocher de bois d'un petit village ; plus loin, à travers les rideaux de pluie et de brume, le lac gris, lisse comme une feuille de plomb. Un vapeur à roues glissait vers Genève. Pour Latimer, qui l'avait connu en été, le paysage avait la désolation d'un théâtre après le spectacle, les housses mises, la scène déserte, la magie évanouie.

Le chauffeur lui ouvrit la porte de la voiture. Celle de la maison fut ouverte par une grosse femme réjouie qui devait être la gouvernante. L'entrée n'avait que six pieds de côté ; une paroi portait un assortiment de vêtements d'homme et de femme ; l'autre, trois paires de skis bien fartés.

La gouvernante prit le chapeau et le manteau. Il passa dans une vaste pièce construite comme une auberge, avec une galerie à l'étage, où donnaient des portes. Le sol était couvert de tapis épais. Un feu de bûches flambait dans une grande cheminée à hotte. Il faisait chaud ; tout était d'une propreté reluisante.

La gouvernante le laissa, lui disant en souriant que Herr Grodek allait descendre tout de suite. Latimer avisa un cercle de fauteuils devant la cheminée. Comme il s'en approchait, un chat siamois bondit sur le dossier et le regarda d'un œil hostile. Un autre sauta à côté du premier, en un mouvement soyeux. Latimer s'avança. Ils arquèrent le dos, crachant. Il fit un large détour et resta debout devant la cheminée. Les chats le surveillaient étroitement. Une bûche s'écroula dans une gerbe d'étincelles. Il y eut un moment de silence. Soudain, les chats tournèrent la tête, sautèrent légèrement sur le sol. Un homme descendait l'escalier de la galerie et venait vers Latimer, les mains tendues.

Il était grand, large d'épaules, soixante ans environ. Les cheveux blancs gardaient une nuance du blond clair qui s'était assorti aux joues pâles, rasées de près, et aux yeux gris-bleu. Le visage était en poire inversée ; un grand front, une petite bouche mince sur un menton qui rentrait presque dans le cou. On aurait dit un Anglais ou un Danois d'intelligence supérieure à la moyenne ; un ingénieur, peut-être. Avec ses pantoufles de cuir et son vieux costume de tweed, ses mouvements décidés, il avait l'air d'un retraité prospère, jouissant des fruits d'une carrière honorable.

— Excusez-moi, dit-il, je n'ai pas entendu la voiture arriver.

Il parlait un français coulant et Latimer trouva le fait incongru : la petite bouche aurait été plus à l'aise avec l'anglais.

— C'est très aimable à vous de me recevoir, monsieur Grodek. Je ne sais pas ce que Peters disait dans sa lettre, parce que...

— Parce que, coupa l'homme en souriant, vous n'avez heureusement pas pris la peine d'apprendre le polonais. C'est une langue horrible. Vous avez fait la connaissance d'Anton et de Simone ? Ils m'en veulent beaucoup de ne pas connaître le siamois. Vous n'êtes pas des chats ordinaires, n'est-ce pas, *mes enfants ?* Ah, vous et votre esprit critique...

Il ramassa une des bêtes par la peau du cou et la posa sur la paume de son autre main.

— *Comme tu es mignonne, Simone chérie ! Comme tu es chatte. Allez, va promener avec ton cher amant.*

Elle sauta par terre et s'en fut avec indignation. Grodek se frotta les mains.

— Ils sont beaux, n'est-ce pas ? Si humains ! Ce temps les met de mauvaise humeur. Je regrette que vous n'ayez pas un plus beau temps, monsieur. Avec du soleil, la vue est très agréable.

Latimer dit qu'il n'en doutait pas. Il était stupéfait. Son hôte et cette réception ne ressemblaient en rien à ce qu'il avait prévu. Grodek avait bien l'air d'un ingénieur en retraite, mais un élément rendait la comparaison absurde. C'était un contraste entre son apparence bonhomme et la qualité de ses mouvements, rapides, sûrs, économiques.

On l'imaginait sans peine dans le rôle d'amant. Chose, pensa Latimer, que l'on peut dire de peu d'hommes au-dessus de soixante ans ; et de peu d'hommes au-dessous. Il se demanda comment était la femme dont les vêtements pendaient dans l'entrée.

— Ce doit être délicieux, en été, dit-il gauchement.

— En effet.

Grodek ouvrait un placard disposé en bar.

— Que voulez-vous boire ? Scotch ?

— Volontiers.

— C'est le meilleur apéritif.

Il versa trois doigts de whisky dans les gobelets.

— L'été, je travaille dehors. C'est bon pour ma santé, sinon pour mon travail. Pouvez-vous vraiment travailler dehors ?

— Non. Les mouches...

— Exactement. Les mouches. J'écris un livre, au fait.

— Vraiment ! Vos Mémoires ?

Grodek leva les yeux de la bouteille de soda qu'il était en train de décapsuler. Latimer y discerna un éclair d'amusement :

— Non, monsieur. Une vie de saint François d'Assise. En confidence, j'espère être mort avant de l'avoir achevée.

— Ce doit être une œuvre exhaustive.

— Oh oui !

Il tendit un gobelet à Latimer.

— L'avantage du sujet, de mon point de vue, est qu'il a été tellement étudié que je n'ai pas besoin d'aller aux sources. Pas de recherches originales à faire. Cela me permet donc de vivre dans l'oisiveté complète en me laissant la conscience tranquille. Au premier signe d'ennui, de *malaise* spirituel, je plonge dans ma bibliothèque et je compose un millier de mots de mon ouvrage. Sitôt convaincu de l'importance de ce travail, j'arrête. Par ailleurs, je lis les périodiques allemands. *A votre santé.*

— *A la vôtre.*

Latimer commençait à se demander si son hôte n'était pas un prétentieux imbécile. Il but une gorgée de whisky :

— Je me demande si Peters a précisé le but de ma visite dans la lettre que j'ai jointe à la mienne.

— Non, mais il l'a fait dans une autre lettre que j'ai reçue hier.

Il reposa son verre et jeta à Latimer un regard oblique :

— Elle m'a beaucoup intéressé. Connaissez-vous Peters depuis longtemps ?

Grodek avait imperceptiblement hésité en prononçant le nom. Latimer devina qu'il était habitué à un autre nom.

— Je l'ai rencontré une fois en train ; une fois à mon hôtel. Et vous, monsieur ? Vous devez bien le connaître.

Latimer sourit avec aisance, car il se sentait mal à l'aise. Il avait conscience d'avoir commis quelque indiscrétion.

Grodek haussa les sourcils :

— Qu'est-ce qui vous le fait croire ?

— S'il ne vous connaissait pas très bien, il ne vous aurait pas demandé de me confier des informations de caractère confidentiel.

Sous le regard de Grodek, Latimer se demanda comment il avait pu être assez sot pour comparer l'homme à un ingénieur en retraite. Sans savoir pourquoi, il aurait souhaité avoir le Lüger de M. Peters. Non que l'attitude de l'autre soit menaçante ; seulement...

— Monsieur, dit Herr Grodek, je me demande quelle serait votre attitude si je vous posais une question très, très impertinente. Par exemple : est-ce que l'intérêt pour les faiblesses humaines est la seule raison de votre visite ?

Latimer se sentit rougir :

— Je peux vous assurer...

— Je suis certain que vous le pouvez, coupa Grodek doucement. Mais, pardonnez-moi, que vaut cette affirmation ?

— Je peux vous donner ma parole, monsieur, de garder strictement secret ce que vous me direz.

Grodek soupira :

— Je crains de m'être mal fait comprendre. Ce qui s'est passé à Belgrade en 1926 n'a plus aucune importance. Ce que je ne vois pas, c'est mon rôle dans la situation présente. Franchement, notre ami Peters a été indiscret en vous envoyant à moi. Il le reconnaît, mais réclame mon indulgence et rappelle que je lui dois un petit service, en me priant de vous dire ce que je sais sur Dimitrios Talaat. Il explique que vous êtes écrivain, que votre curiosité est purement littéraire. Bon. Admettons.

Il prit son verre et le vida.

— En tant que professionnel de la psychologie humaine, monsieur, vous avez remarqué que chaque humain a derrière ses actes un stimulus dominant. Pour certains, c'est la vanité ; pour d'autres, le plaisir ; pour d'autres encore, l'argent, etc. Heu, Peters est de ceux dont l'argent est le motif principal. Sans le calomnier, il a l'amour de l'avare pour l'argent en soi. Attention, je n'affirme pas que c'est son unique stimulus. Je pense simplement que, le connaissant, je le vois mal vous présentant à moi et m'écrivant comme il l'a fait pour l'amour du roman policier anglais. Vous me comprenez, maintenant ? Je suis un peu méfiant, monsieur. J'ai encore des ennemis. Dites-moi donc quelles sont vos relations avec Peters.

— Je serais enchanté. Malheureusement, je ne le peux pas. Pour la raison majeure que je ne sais pas moi-même quelles sont ces relations.

Le regard de Grodek durcit :

— Je ne plaisante pas, monsieur.

— Moi non plus. J'étudiais l'histoire de Dimitrios quand j'ai rencontré Peters. Il s'intéresse également à Dimitrios, pour des motifs dont je n'ai pas la moindre idée. Il m'a entendu demander des renseignements au bureau des archives d'Athènes. Il m'a suivi à Sofia et a pris contact avec moi, avec un pistolet, soit dit en passant. Il m'a questionné sur mes propres motifs d'étudier un homme, dont, je le souligne, je n'avais jamais entendu parler avant qu'il soit assassiné. Ensuite, il m'a dit que si je le retrouvais à Paris, si je lui communiquais une information dont j'ignorais la valeur, si je collaborais avec lui dans une affaire non spécialisée, nous aurions un demi-million de francs chacun. Je ne l'ai pas cru et j'ai refusé d'avoir une part à son projet. Alors, comme preuve de ses bonnes intentions, il m'a donné votre adresse. Je lui avais dit que je voulais aller à Belgrade pour y recueillir des informations. Il m'a dit que vous étiez la seule personne en mesure de me les fournir.

Grodek hocha la tête :

— Sans être curieux, puis-je savoir comment vous avez appris que Dimitrios Talaat était à Belgrade en 1926 ?

— Un haut fonctionnaire turc, que j'ai rencontré à Istanbul, m'a raconté l'histoire de Dimitrios. Enfin, ce que l'on en sait là-bas.

— Je vois. Vous n'avez vraiment aucune indication sur l'information importante que vous possédez ?

— Aucune.

— Allons, monsieur. Soyez aussi franc avec moi que vous me demandez de l'être avec vous.

— Je suis franc. Tout ce que je sais, c'est qu'à un moment de la conversation plutôt décousue que j'avais avec lui, Peters a semblé très excité.

— A quel moment ?

— J'étais en train de lui expliquer, je crois, pourquoi je savais que Dimitrios n'avait pas d'argent quand il est mort. C'est alors qu'il a parlé de ce demi-million.

— Et comment le saviez-vous ?

— Parce que j'ai vu à côté de son cadavre tout ce qu'il avait sur lui. Sauf sa *carte d'identité,* que l'on avait ôtée de la doublure de son veston et envoyée aux autorités françaises. Mais pas d'argent. Pas un sou.

Grodek fixa Latimer pendant plusieurs secondes. Puis il alla à l'armoire aux liqueurs :

— Un peu de whisky, monsieur ?

Il remplit les verres, tendit celui de Latimer, leva le sien solennellement :

— Un toast, monsieur. Au roman policier anglais.

Amusé, Latimer leva son verre et but. Grodek l'imita. Soudain, il s'étrangla. Latimer vit avec stupéfaction que son hôte étouffait de rire.

— Excusez-moi, dit-il, reprenant son souffle. Je ne peux pas m'empêcher de rire à l'idée... — il hésita une fraction de seconde — de notre ami Peters vous menaçant d'un pistolet. Il a une peur panique des armes à feu.

— Il cachait fort bien sa peur, croyez-moi, dit Latimer avec irritation.

Il soupçonnait que la gaieté de Grodek avait une autre cause.

— Un homme intelligent, Peters.

Il frappa amicalement l'épaule de Latimer. Il semblait d'excellente humeur.

— J'espère que je ne vous ai pas offensé. Avez-vous faim ? Greta est une excellente cuisinière. Ensuite, je vous parlerai de Dimitrios et des ennuis qu'il m'a valus en 1926. D'accord ?

— Merci infiniment.

Le Polonais parut sur le point de rire à nouveau, mais il changea brusquement d'expression :

— C'est un plaisir, monsieur. Peters est un ami. Et vous m'êtes sympathique.

Il hésita et dit avec gravité :

— Puis-je vous donner un conseil, entre amis ?

— Je vous en prie.

— A votre place, je prendrais Peters au mot et j'irais à Paris.

— Eh bien, commença Latimer, perplexe, je ne sais pas si...

La gouvernante entra.

— A table, s'exclama Grodek, d'un air de grande satisfaction.

Plus tard, quand il eut l'occasion de demander à Grodek d'expliquer son « conseil », Latimer oublia d'en profiter. Il avait d'autres sujets de réflexion.

IX

# Belgrade, 1926

Les hommes ont appris à se méfier de leur imagination. Il leur paraît donc étrange de découvrir qu'un monde conçu comme imaginaire et irréel existe en fait. L'après-midi que Latimer passa à la villa Les Acacias, en écoutant le récit de Grodek, fut l'un des plus étranges de sa vie. Le soir même, il commença une longue lettre en français à Maroukakis, autant pour informer son ami grec que pour fixer ses souvenirs pendant qu'ils étaient intacts. Il l'acheva le dimanche soir.

Genève, samedi.

« Mon cher Maroukakis,

Je vous ai promis de vous écrire pour vous dire si je trouvais du nouveau sur Dimitrios. Serez-vous surpris que je l'aie fait ? Je veux dire : découvert du nouveau. Quant à vous écrire, je l'aurais fait de toute façon, pour vous remercier de votre aide et de votre accueil à Sofia.

Vous vous souvenez que je devais aller à Belgrade. Pourquoi suis-je à Genève ? Ne me le demandez pas : je ne le sais pas au juste.

Quelqu'un m'a présenté à l'espion professionnel qui a employé Dimitrios à Belgrade en 1926 et qui s'est retiré par la suite dans les environs de Genève. Il m'a reçu cet après-midi et m'a parlé très librement. Mais pourquoi lui ai-je été présenté ? Je l'ignore. J'espère le savoir un jour. Si vous trouvez que ce mystère est irritant, moi aussi. En attendant, revenons à Dimitrios.

Avez-vous jamais cru à l'existence du " maître espion " ? Moi, non. Jusqu'à aujourd'hui. Je ne peux pas vous confier le nom du personnage en question. Appelons-le G., dans la meilleure tradition des histoires d'espionnage.

G. a été un " maître espion " comme il y a des maîtres imprimeurs. Il employait des ouvriers du renseignement. Son travail était surtout, sinon toujours, de caractère administratif. Je vois maintenant que l'on dit et que l'on écrit beaucoup de sottises sur les espions et sur l'espionnage. Mais je ferais mieux d'exposer l'affaire comme G. me l'a lui-même exposée. Il a d'abord cité Napoléon : à la guerre, le premier élément de la stratégie est la surprise.

G. est un grand amateur de citations napoléoniennes. Je ne doute pas que Napoléon ait dit quelque chose de ce genre, comme l'ont certainement fait tous les chefs de guerre, d'Alexandre à Foch.

L'expérience de 1914-1918, a-t-il continué, montre que, lors de la prochaine guerre, la mobilité et la puissance de feu des armées modernes, ainsi que les progrès de l'aviation, rendront l'élément de surprise plus important qu'il ne l'a jamais été ; si important qu'une attaque par surprise peut emporter la décision[1].

Il est en conséquence plus nécessaire que jamais de se garder d'une attaque par surprise ; cela *avant* le début des hostilités.

Aujourd'hui, il y a en gros vingt-sept Etats indépendants en Europe. Tous ont une armée et une aviation ; la plupart ont une marine. Pour leur propre sécurité, chaque armée, aviation et marine doit connaître son équivalent dans les vingt-six autres nations. Ce qui suppose des espions ; des armées d'espions.

En 1926, G. était au service de l'Italie. Au printemps de cette année, il s'installa à Belgrade.

Les relations entre l'Italie et la Yougoslavie étaient tendues, à l'époque. L'occupation de Fiume et le bombardement de Corfou étaient tout frais dans les mémoires des Yougoslaves. Il courait des rumeurs (qui, on l'a vu, n'étaient pas sans fondement) sur les intentions de Mussolini d'occuper l'Albanie. De son côté, l'Italie ne pouvait tolérer une Albanie sous influence yougoslave. Une guerre était possible entre les deux puissances.

Les agents italiens à Belgrade avaient rapporté que la

1. Ecrit au début de 1939. Apparemment, seul l'état-major français n'était pas au courant. *(N.d.T.)*

Yougoslavie mouillait des champs de mines au nord du détroit d'Otrante pour couvrir ses côtes.

Je ne connais pas grand-chose à ces questions, mais il paraît que ce n'est pas nécessaire de miner l'ensemble d'une zone pour la rendre impraticable. Il suffit de disposer quelques champs dont la situation est gardée secrète. L'ennemi doit découvrir leur emplacement s'il veut rendre à sa flotte la liberté de manœuvre.

G., l'expert en espionnage, avait ainsi pour mission de situer ces zones minées. Cela, point essentiel, sans que les Yougoslaves le sachent. Sinon, évidemment, ils les modifieraient et tout serait à recommencer.

G. manqua sa mission, par la faute de Dimitrios.

J'ai toujours cru que l'espionnage était un travail extraordinairement difficile. Je veux dire que si j'étais envoyé par le Gouvernement britannique à Belgrade, avec ordre de rapporter les emplacements secrets des champs de mines dans le détroit d'Otrante, je ne saurais même pas par où commencer. Supposons que je sache, comme G., que ces emplacements sont marqués sur une carte du détroit. Je déduirais logiquement qu'au moins un exemplaire est conservé au ministère de la Marine. Mais un ministère est un grand bâtiment. A supposer encore que je découvre dans quelle pièce et dans quel coffre le document est enfermé, je n'imaginerais pas le moyen de le consulter sans que les Yougoslaves s'en doutent.

Un mois après son arrivée, G. avait résolu ces problèmes. Voilà qui prouve une exceptionnelle compétence, n'est-ce pas ?

Comment avait-il réussi ? Quelles manœuvres ingénieuses, quels tours subtils avait-il employés ?

Il se contenta de se présenter comme voyageur de commerce, de lier connaissance avec un fonctionnaire subalterne du ministère de la Marine ! Bête, hein ? Quand je lui ai demandé s'il lisait des romans d'espionnage, il a dit que non, car ils lui paraissaient naïfs !

Un beau matin, donc, il arriva au ministère et pria le gardien de lui indiquer le Service des fournitures ; requête parfaitement normale, étant donné son identité : représentant d'une firme de matériel optique allemande. Il s'égara dans les couloirs, arrêta quelqu'un, lui dit qu'il cherchait le Service de la défense sous-marine. On le remit dans la bonne direction. Il entra dans le bureau, demanda s'il s'agissait bien du Service des fournitures, s'excusa et partit.

Pendant la minute que prit l'explication, il repéra trois fonctionnaires de la Défense sous-marine. Le soir, il fila l'un d'eux jusqu'à son domicile. Le lendemain et le surlendemain, il opéra de même pour les deux autres. Ensuite, il se renseigna sur les trois hommes et choisit celui qui serait son instrument.

Il fallait y penser, mais c'est simple. Je saurais maintenant en faire autant. Par contre, la pénétration nécessaire au second temps de la manœuvre m'impressionne. G. ne semble pas conscient de la différence entre les astuces du métier et son talent de psychologue. Il n'aura pas été le seul homme à méconnaître les raisons réelles de son succès.

Boulitch était un personnage désagréable de quarante à cinquante ans, plus âgé que ses collègues et détesté d'eux. Sa femme était de dix ans plus jeune, jolie, insatisfaite. Il souffrait d'un catarrhe chronique.

Il avait l'habitude de boire un verre dans un café en quittant le ministère. C'est là que G. fit sa connaissance, par la méthode banale de demander du feu, d'offrir un cigare, puis un apéritif.

Un fonctionnaire ayant accès à des secrets de défense nationale pouvait se méfier des rencontres de café. G. eut soin de procéder de façon à endormir ses soupçons. Chaque soir, G. était au café ; il parlait de choses et d'autres avec Boulitch, il lui demandait conseil comme un étranger un peu perdu dans Belgrade ; il payait les consommations. Ils firent quelques parties d'échecs ; Boulitch gagna. Ils jouèrent à la *manille* avec des habitués. Un soir, enfin, G. prit le Yougoslave à part.

Un ami commun, dit-il, lui avait confié que Boulitch occupait un poste important au ministère de la Marine.

Ce dernier ne demanda pas qui : ce pouvait être n'importe quel partenaire de la *manille.* Il fronça les sourcils et ouvrit la bouche, probablement pour rétablir la vérité. G. ne lui en laissa pas le temps. Il expliqua qu'il était représentant d'une firme hautement respectable, qui fabriquait à Dresde du matériel optique. La Marine yougoslave avait ouvert une soumission pour un gros achat de jumelles. G. avait déposé son dossier. Mais un peu de piston n'est jamais inutile, n'est-ce pas ? Si, donc, le cher et influent Boulitch voulait bien l'aider à emporter la commande, il recevrait un petit pot-de-vin : mettons vingt mille dinars.

Considérez la proposition du point de vue de ce fonctionnaire subalterne, flatté par l'intérêt d'une grande compagnie allemande, à qui l'on offrait l'équivalent de six mois de salaire. Cela pour ne rien faire, puisqu'il n'avait aucune part à la décision. Si la firme de Dresde était choisie, il toucherait vingt mille dinars. Si c'était une autre firme, il ne perdrait que le respect de cet Allemand stupide et mal informé.

G. admet que Boulitch fit un léger effort pour être honnête. Il marmonna que son influence n'était pas décisive. G. considéra la protestation comme un essai de faire monter les prix. Boulitch se défendit d'avoir cette intention. Cinq minutes plus tard, il avait accepté.

Dans les jours qui suivirent, ils devinrent amis intimes. G. passa à la troisième phase du plan. Il invita fréquemment le fonctionnaire et sa femme aussi jolie qu'idiote dans les restaurants et les boîtes de nuit chères. Le couple s'épanouissait comme des plantes assoiffées sous la pluie. Boulitch pouvait-il être discret, lorsqu'il se trouvait engagé dans une discussion sur la menace italienne contre l'indépendance yougoslave ? Il était grisé par le champagne ; pour la première fois de sa vie morne, son avis était écouté avec considération ; sa femme ne le regardait plus avec mépris ; il devait tenir son rôle de personnage important. Il confia qu'il avait souvent vu les plans de l'opération qui immobiliserait la flotte italienne dans l'Adriatique. Naturellement, il devait se taire, mais...

G. fut enfin sûr que Boulitch avait accès à un exemplaire de la carte. Il prépara soigneusement son action, en fonction du caractère de sa victime. Pour cela, il lui fallait un complice. Il trouva Dimitrios.

J'aurais aimé savoir comment G. entendit parler de celui-ci. Mais le maître espion prétend ne pas s'en souvenir : il y a si longtemps. Il se rappelle seulement qu'on le lui avait recommandé comme un Turc d'origine grecque, muni d'un passeport en ordre, ayant la réputation d'être " employable " et discret, expérimenté dans les " affaires financières de nature confidentielle ". Ces mots ne désignent pas, comme je l'aurais cru, une sorte d'expert-comptable. Ils ont un tout autre sens dans le jargon du métier.

G. écrivit à Dimitrios Talaat aux bons soins du Crédit Eurasien à Bucarest. Il m'a dit cela comme si cette adresse était celle de l'American Express !

Dimitrios arriva à Belgrade cinq jours plus tard et se présenta à G. chez celui-ci, une villa meublée près de la Knez Miletina. C'était, dit G., un homme de taille moyenne, qui pouvait avoir n'importe quel âge entre trente-cinq et cinquante ans (en fait, trente-sept). Il était bien habillé et... non, je ferais mieux de citer les propres termes de G. :

" Il était *chic,* avec des vêtements chers, les cheveux grisonnants sur les tempes, un air d'assurance et quelque chose dans le regard que je reconnus immédiatement : c'était un maquereau. Ne me demandez pas pourquoi je le sais. J'ai un instinct de femme pour ça. "

Ainsi, Dimitrios avait mûri et prospéré. Grâce à d'autres Preveza ? Nous ne le saurons jamais. G. fut satisfait : un maquereau ne cause pas d'ennuis à propos de femmes. " Il avait une réelle élégance. Il paraissait intelligent. J'en fus content, car je déteste utiliser des agents de second ordre : ils ne comprennent pas mon tempérament particulier. "

Comme vous le voyez, G. est un délicat.

Dimitrios n'avait pas perdu son temps. Il parlait correctement l'allemand et le français. Il dit :

— Je suis venu dès la réception de votre lettre. J'avais du travail à Bucarest, mais je suis heureux de collaborer avec vous.

G. expliqua ce qu'il voulait ; Dimitrios écouta tranquillement et demanda combien il serait payé.

— Trente mille dinars, dit G.

— Cinquante mille. En francs suisses.

Ils transigèrent à quarante mille, en francs suisses. Dimitrios accepta, souriant. Mais une certaine expression dans les yeux de Dimitrios, tandis qu'il souriait, fit que G. se méfia de son nouvel agent.

Curieux, n'est-ce pas, que G. eût besoin de ce sourire pour se méfier ? Il paraît qu'il y a une forme d'honnêteté parmi les bandits. Les yeux de Dimitrios trahissaient une sorte de malhonnêteté au deuxième degré ; ils avaient un je ne sais quoi d'exceptionnel, même dans ce milieu, dont G. garde un souvenir aussi vif que la Preveza. Vous n'avez pas oublié ce qu'elle nous a dit : bruns, anxieux, comme ceux d'un docteur qui va vous faire mal. Ou : on voyait dans ses yeux qu'il n'avait aucun des sentiments qui rendent les hommes apprivoisés, il était dangereux. Bien que très différent de notre amie bulgare, G. a réagi de la même façon. Il a senti qu'il avait tort d'employer Dimitrios. Mais l'affaire pressait. Il a décidé de surveiller Dimitrios de près.

Pendant ce temps, Boulitch trouvait la vie plus agréable qu'il ne l'avait pensé possible. Il fréquentait les endroits luxueux. Sa femme, réchauffée par le plaisir et par l'espoir, était très gentille avec lui. Les économies de nourriture lui permettaient de s'acheter son cognac favori et, quand elle buvait, elle redevenait amoureuse. Il se trouvait physiquement mieux. Un soir, il a dit à G. que les repas bon marché ne valaient rien pour son catarrhe. Ce fut la seule fois qu'il faillit oublier son rôle.

La commande de jumelles fut emportée par une firme de matériel optique tchèque. Le *Journal officiel,* qui publiait la décision, paraissait à midi. A midi une, G. en avait un exemplaire et se précipitait chez un imprimeur, où attendait un plomb aux trois quarts gravé. A six heures, il était à la porte du ministère. Boulitch sortit. Il avait lu le *Journal officiel.* Un exemplaire sous le bras, il se dirigea d'un pas pesant vers le café. Il s'arrêta devant la vitrine, puis continua son chemin. Il ne tenait pas à rencontrer l'homme de Dresde.

G. fit signe à un taxi et lui ordonna de faire le tour du pâté de maisons. A la hauteur de Boulitch, il sauta sur le trottoir et saisit le fonctionnaire dans ses bras. Avant que le malheureux ait pu protester, il était assis sur la banquette, un chèque de vingt mille dinars dans la main, tandis que G. se confondait en remerciements et en félicitations.

— Mais je croyais que vous aviez perdu la soumission, murmura-t-il.

G. rit comme d'une énorme plaisanterie ; puis il “ comprit ” :

— Bien sûr ! J'avais oublié de vous le dire. Notre offre passait par l'intermédiaire de notre filiale tchèque. Voyez.

Il montra une des cartes de visite fraîchement imprimées.

— Nous contrôlons une bonne partie de l'industrie optique en Europe centrale, ajouta-t-il négligemment. Il faut arroser ça.

Cette nuit-là, ils firent la bombe. Revenu de sa stupéfaction, Boulitch tira parti de l'aubaine. Ivre, il se vanta de son influence au ministère si bruyamment que G. eut de la peine à le calmer. Quand il fut assez refroidi pour suivre une conversation, G. lui expliqua qu'une autre filiale sollicitait la commande d'un lot de télémètres. Est-ce qu'il pourrait appuyer à nouveau l'affaire ? Naturellement ! Mais maintenant que son influence était démontrée, n'avait-il pas le droit de s'attendre à un acompte ?

G. n'avait pas prévu cette réaction. Profondément amusé, il signa un second chèque, de dix mille dinars. Une somme égale serait versée à la conclusion du marché.

Boulitch était plus riche qu'il ne l'avait jamais été. Le surlendemain, il dînait avec sa femme et le stupide Allemand dans un hôtel de luxe, lorsque ce dernier avisa à une table voisine son compatriote, le baron von Kiessling.

Inutile de préciser que le nom habituel du baron était Dimitrios.

— On aurait juré, m'a dit G., qu'il avait passé toute sa vie dans les palaces. Ses manières étaient parfaites. Je lui présentai Boulitch comme un haut fonctionnaire de la Marine. Il l'accueillit d'une façon charmante et traita sa femme comme une princesse. Je remarquai cependant comment il lui effleurait la paume de ses doigts en lui baisant la main.

Le baron, souffla G. à l'oreille de Boulitch, était un homme très important. Un peu mystérieux, certes. Mais un des maîtres du *big business* international. Il était énormément riche et contrôlait, d'après les rumeurs, pas moins de vingt-sept sociétés. Il fallait à tout prix le connaître.

Avec quelle joie cachée, le lendemain matin, Boulitch dut-il s'asseoir à sa table du ministère ! Le baron avait accepté de boire une coupe de champagne en leur compagnie, puis de leur réserver un dîner. Il avait reçu aimablement leurs amabilités. Le pauvre gratte-papier devait se sentir au bord de la chance qu'il avait espérée en vain jusqu'alors. Il était en contact avec les gens qui comptaient, les gens qui faisaient et défaisaient les hommes. Il se voyait déjà directeur d'une des sociétés du baron, maître d'une belle maison et d'inférieurs pleins de respect et d'obéissance. Les hommes ont pris des chemins encore plus étranges vers la richesse.

Est-ce qu'il n'aurait pas été plus prudent, ai-je demandé à G., de battre le fer tant qu'il était chaud? Dans l'intervalle entre la rencontre et le dîner, Boulitch n'aurait-il pas le temps de penser? « Oui, de penser aux bonnes choses à venir, de s'y accoutumer, de rêver. » G. est resté un moment très sérieux, songeant sans doute à la nature humaine ; soudain, il a souri et cité Goethe : *Ach ! warum, ihr Götter, ist unendlich, alles, alles, endlich unser Glück nur?* Il possède, vous le voyez, un certain sens de l'humour.

Le dîner était cependant un moment critique. Dimitrios se mit à travailler la femme. C'était un tel plaisir de connaître des personnes aussi charmantes que madame, et son mari, naturellement. Elle devait, avec son mari naturellement, venir lui rendre visite en Bavière le mois prochain. En cette saison, il préférait son vieux château de famille à son appartement de Paris ou à sa villa de Cannes. Madame aimerait la Bavière. Son mari aussi, s'il pouvait se dégager quelques jours de ses hautes fonctions.

Un piège aussi simple, grossier. Mais les Boulitch étaient grossiers, simples. Madame buvait ces paroles comme du champagne doux. Le mari était torturé d'envie.

Alors, Dimitrios joua l'atout. Il arrêta d'un signe la fleuriste, choisit la plus belle orchidée et pria madame de l'accepter en hommage de respectueuse estime. Il tira son portefeuille pour payer. Un paquet de billets de mille dinars tomba sur la table.

Dimitrios le remit dans sa poche en s'excusant. G. s'étonna : Est-ce que le baron transportait toujours autant d'argent sur lui ? Non, mais il avait gagné chez Alessandro avant le dîner et n'avait pas eu le temps de confier la somme au concierge de l'hôtel. Les Boulitch se taisaient : ils n'avaient jamais vu autant d'argent. Connaissaient-ils Alessandro ? demanda le baron. Non ? Dommage. C'était la seule maison de jeu à Belgrade où l'on pouvait vraiment gagner. Là, on dépendait de la chance, non de l'adresse du croupier. Il avait eu justement de la chance, ce soir ; il avait gagné un peu plus que d'habitude. Ses yeux bruns caressaient madame du regard : " Faites-moi le plaisir d'être mes hôtes. Je veux vous faire connaître cet endroit. "

Dimitrios avait tout arrangé. Ils étaient attendus au *trente et quarante,* non à la *roulette.* Il est difficile de tricher à la *roulette.* La mise minimum était de deux cent cinquante dinars.

Ils burent une bouteille de champagne et regardèrent jouer un moment. Puis G. décida de tenter sa chance. Il gagna deux fois de suite. Le baron demanda à madame si elle aimerait jouer. Elle interrogea son mari de l'œil. Celui-ci dit avec embarras qu'il avait peu d'argent sur lui. Le baron sourit : Voyons, Herr Boulitch ! Ses amis étaient les amis d'Alessandro. D'ailleurs, demandons-lui. Alessandro fut convoqué et présenté. Ferait-il crédit à un ami de M. le baron ? Cela allait sans dire. Mais pourquoi en parler avant d'avoir joué ? Il serait temps de voir, si monsieur avait un peu de malchance.

G. estime que le couple aurait refusé de risquer deux cent cinquante dinars si Dimitrios leur avait laissé un instant pour se concerter. C'était une grosse somme, évaluée en prix de nourriture et de loyer, malgré leur fortune récente. Il ne fit pas cette erreur. En tenant la chaise de la femme, il murmura au mari qu'il souhaitait l'avoir à déjeuner un jour de cette semaine, afin de parler affaires.

Cela signifiait en clair : Mon cher Boulitch, vous n'allez pas vous soucier de quelques misérables centaines de dinars. Je m'intéresse à vous. Donc, votre fortune est faite. Ne me désappointez pas en vous montrant moins important que vous ne prétendez l'être.

Mme Boulitch joua. Une heure plus tard, elle avait perdu les cinq mille dinars de jetons avec lesquels elle avait commencé. Dimitrios, en sympathisant, poussa vers elle une poignée de plaques de cinq cents dinars. Boulitch dut penser que c'était un cadeau, car il ne fit qu'un grognement de protestation. Ce n'était pas un cadeau. A trois heures du matin, il signa une reconnaissance à Alessandro pour douze mille dinars. G. leur offrit une dernière bouteille.

Il est facile d'imaginer la scène lorsque les Boulitch furent à la maison. Les récriminations, les larmes, les discussions interminables. Heureusement, le mari déjeunait avec le baron le lendemain, pour parler affaires.

Ils en parlèrent. G. avait dit à Dimitrios d'être encourageant. La suite a montré qu'il réussit à porter Boulitch à l'état d'esprit souhaité : qu'étaient douze mille dinars quand il fallait penser en millions ?

Ce résultat obtenu, Dimitrios souleva la question de la dette à Alessandro. Au fait, il y allait ce soir. Boulitch voulait-il l'accompagner ? Seulement tous les deux. Les femmes ne savent pas jouer.

Quand ils se retrouvèrent au tripot, Boulitch avait trente-cinq mille dinars en poche. Il avait dû ajouter ses économies à l'argent de G. Malgré les protestations d'Alessandro, il insista pour régler d'abord ce qu'il devait. " Je paie mes dettes ", dit-il fièrement. Il changea le reste en plaques de cinq cents dinars. Il refusa de boire. Il voulait garder la tête froide.

G. souriait en me racontant cela, peut-être pour préserver son confort moral. La pitié est quelquefois un sentiment gênant et je trouve Boulitch pitoyable. Oui, c'était un sot et un faible. Mais, entre les mains de ces spécialistes, il n'avait vraiment aucune chance. Dans la même situation, je ne serais sans doute ni moins sot ni moins faible.

Il perdit, évidemment. Il lui fallut deux heures de hauts et de bas pour être soulagé de sa quarantaine de plaques. Très calmement, il en reprit vingt à crédit, disant que la chance devait tourner. Le malheureux ne soupçonnait pas l'éventualité même de la tricherie. D'ailleurs, le baron perdait encore plus que lui. Il doubla les mises et dura trois quarts d'heure. Une fois de plus, il emprunta et perdit. Il devait trente-huit mille dinars lorsque, blême et trempé de sueur, il décida d'arrêter.

Désormais, il était pieds et poings liés. Il revint le soir suivant. On lui laissa regagner trente mille dinars. Le troisième soir, il en reperdit quatorze mille. La quatrième partie était en cours et il devait vingt-cinq mille dinars quand Alessandro réclama son argent. Boulitch promit de payer dans la semaine. Et il alla demander de l'aide à G.

Celui-ci fut plein de sympathie. Malheureusement, il ne pouvait pas disposer des fonds de son employeur sans justification et il n'était lui-même pas riche. Si deux cent cinquante dinars étaient de quelque secours... Il aurait voulu faire plus, mais... Boulitch prit les deux cent cinquante dinars.

G. pouvait par contre donner un bon conseil. Le baron était l'homme à le sortir de ses difficultés. Il ne prêtait pas d'argent, par principe ; mais il avait la réputation de mettre ses amis en position de gagner des sommes considérables. Pourquoi ne pas aller lui parler ?

La conversation eut lieu après un dîner que Boulitch paya, dans la chambre du baron. G. était à portée de voix dans la pièce voisine. Péniblement, le pauvre homme arriva au sujet. Alessandro exigerait-il son argent ? Que se passerait-il s'il n'était pas payé ?

Dimitrios feignit la surprise. La question ne devait pas se

poser. C'était sur sa recommandation personnelle qu'on lui avait fait crédit. Alessandro risquait de se montrer très désagréable. De quelle façon ? En portant plainte, naturellement. Le baron espérait que les choses n'en viendraient pas là.

Boulitch l'espérait aussi. Il avait maintenant tout à perdre, y compris sa place. Une enquête pouvait même dévoiler qu'il avait touché trente mille dinars de G. Ses supérieurs ne croiraient jamais que cet argent lui avait été donné sans contrepartie. Bref, c'était la prison s'il n'était pas tiré d'affaire par le baron.

Dès l'évocation d'un prêt, Dimitrios secoua la tête. Non, ça ne ferait qu'aggraver les choses, puisque l'argent serait dû à un ami. Pourtant, il souhaitait aider. Il voyait bien un moyen, mais si délicat à dire qu'il ne tenait pas à le suggérer. A moins que Herr Boulitch n'insistât. Il insistait. Bien. Voici de quoi il s'agissait : certaines personnes de sa connaissance désiraient obtenir certaines informations du ministère de la Marine, de caractère confidentiel. Ils étaient disposés à payer jusqu'à cinquante mille dinars. G. attribue une bonne part du succès de la manœuvre au montant soigneusement calculé de la somme. Chaque quantité d'argent, depuis les vingt mille dinars initiaux, en passant par les dettes successives à l'agent italien Alessandro, était mathématiquement mesurée en fonction de sa valeur psychologique. Ces cinquante mille dinars avaient une double valeur. Dettes payées, Boulitch aurait presque ce qu'il possédait avant de rencontrer le baron. A la motivation de la peur s'ajoutait celle du gain.

Il ne céda pas immédiatement. Quand il apprit la nature exacte de l'information, il s'affola et se mit en colère. Dimitrios s'occupa d'abord de la colère. Dès que Boulitch le traita de « sale espion », il quitta ses manières aristocratiques, cogna au ventre, puis au visage. Boulitch fut jeté dans un fauteuil, suffoqué, plié en deux de douleur, la bouche en sang. Dimitrios lui expliqua alors clairement que le seul risque était de ne pas obéir.

Les instructions étaient simples. Le fonctionnaire devait prendre un exemplaire de la carte et l'apporter à l'hôtel en quittant le ministère, le lendemain soir. Une heure plus tard, la carte lui serait restituée et il n'aurait qu'à la remettre à sa place le matin suivant. C'était tout. Il serait payé lorsqu'il livrerait la carte. Il fut une dernière fois averti de ce qui arriverait s'il prévenait les autorités, alléché par les cinquante mille dinars et renvoyé.

Il vint ponctuellement au rendez-vous, le document plié en quatre sous son pardessus. Dimitrios porta la carte à G. et tint compagnie à Boulitch pendant qu'elle était photographiée et que le négatif était développé. Boulitch n'avait rien à dire. Quand ce fut fini, il prit l'argent et la carte des mains de Dimitrios et partit sans un mot.

G. entendit la porte se refermer avec satisfaction. Le négatif était explicite ; les dépenses, modestes ; les délais, convenables. Tout le monde, y compris Boulitch, s'était bien comporté.

Alors, Dimitrios entra dans la pièce. Et G. sut qu'il avait commis une faute.

— Mon salaire, dit Dimitrios en tendant la main.

G. croisa le regard de son agent et fit oui de la tête. Il aurait eu besoin d'un pistolet.

— Allons chez moi.

Dimitrios secoua la tête :

— Mon salaire est dans votre poche.

— Pas le vôtre. Le mien seulement.

Dimitrios sortit un revolver. Il souriait :

— Ce que je veux est dans votre poche, *mein Herr.* Mettez les mains derrière la nuque.

G. obéit. Dimitrios s'avança vers lui et G., plongeant son regard dans les yeux bruns anxieux, lisait qu'il était en danger. A deux pas, Dimitrios s'arrêta :

— Soyez prudent, *mein Herr.*

Le sourire disparut. Dimitrios fit un pas rapide, poussa le revolver dans l'estomac de G., s'empara du négatif, recula et dit :

— Vous pouvez partir.

G. s'en alla. A son tour, Dimitrios avait commis une faute.

Toute la nuit, des hommes recrutés en hâte dans le milieu de Belgrade fouillèrent la ville. Mais Dimitrios fut introuvable. G. ne le revit jamais.

Permettez-moi de céder la parole à G. pour la conclusion :

— Tant de beau travail gâché ! J'étais très amer. Je découvris que Dimitrios avait été en contact avec un agent français. J'allai donc trouver un ami que j'avais à l'ambassade d'Allemagne. Il pouvait m'être utile et les Allemands souhaitaient à l'époque être agréables au Gouvernement de Belgrade. Les Yougoslaves seraient très heureux d'apprendre que leur plan de défense navale était éventé.

— Voulez-vous dire que vous avez délibérément fait informer les autorités yougoslaves que la carte avait été photographiée ?

— Malheureusement, je ne pouvais rien faire d'autre. Dimitrios avait été stupide de me laisser partir. Il manquait d'expérience, alors. Il a probablement pensé que je ferais chanter Boulitch pour qu'il me rapporte le document. Je ne devais pas agir ainsi : ma réputation aurait souffert si j'avais vendu à l'Italie une information connue de la France. Le seul côté drôle de cette mauvaise affaire est que les Français avaient déjà payé la moitié du prix convenu à Dimitrios quand ils ont su que l'information ne valait plus rien, du fait de ma petite *démarche*.

— Qu'est-il arrivé à Boulitch ?

— Oui, c'est ennuyeux. J'ai toujours eu un sentiment de responsabilité envers les gens qui travaillaient pour moi. Il a été arrêté très vite. L'exemplaire de la carte auquel il avait accès était le seul à avoir été plié. Ses empreintes ont fait le reste. Très sagement, il a dit aux autorités tout ce qu'il savait de Dimitrios. Aussi, on l'a condamné à la prison à vie au lieu de le fusiller. J'ai été plutôt surpris qu'il ne me mette pas en cause. Je me suis demandé à l'époque s'il ne craignait pas d'avoir à répondre d'un délit supplémentaire en avouant qu'il acceptait des pots-de-vin. Ou s'il m'était reconnaissant pour les deux cent cinquante dinars. J'ai fini par conclure qu'il n'avait pas établi de relation entre Dimitrios et moi. En tout cas, ça m'a bien arrangé. J'avais encore à travailler à Belgrade. Etre recherché, même sous un autre nom, m'aurait compliqué l'existence. Je n'ai jamais pu me résoudre à porter des déguisements.

Je lui ai posé une dernière question. Voici sa réponse :

— Oui, j'ai obtenu la nouvelle carte aussitôt qu'elle a été faite. Par une autre voie, bien sûr. J'avais investi trop de capital dans cette entreprise pour ne pas l'achever. Vous trouvez peut-être que j'ai été maladroit à propos de Dimitrios. Ce serait injuste. Je n'ai fait qu'une légère erreur. Je croyais qu'il serait comme tous les autres imbéciles de ce monde : trop gourmand. Donc, qu'il attendrait d'avoir reçu ses quarante mille dinars avant d'essayer de me prendre le négatif. Là, j'aurais été couvert.

Il m'a pris par surprise. Cette erreur de jugement m'a coûté beaucoup d'argent.

— Elle a coûté à Boulitch sa liberté.

J'ai dû parler sèchement, car il a froncé les sourcils :

— Cher monsieur, Boulitch était un traître et n'a eu que ce qu'il méritait. Il a même eu de la chance. Je l'aurais certainement employé d'autres fois et il aurait fini par être fusillé. Il est en prison. Sans être dur, je crois que c'est ce qu'il lui faut. Il n'avait pas à proprement parler de liberté à perdre. Quant à sa femme, je ne me fais pas d'inquiétude. Elle ne désirait qu'être débarrassée de son mari. Je ne la blâme pas. C'était un cuistre et il faisait du bruit en mangeant. Vous pensez, n'est-ce pas, qu'en quittant Dimitrios il est allé rembourser Alessandro ? Non. Quand il fut arrêté, il avait les cinquante mille dinars en poche. Quel gaspillage ! C'est dans de telles occasions qu'on a besoin de son sens de l'humour.

Voilà, mon cher Maroukakis. C'est tout. Et, à mon goût, c'est plus qu'assez. Je suis un peu las d'errer dans cette forêt hantée de fantômes d'anciens mensonges. L'idée me réconforte que vous m'écrirez, et que vous me direz peut-être que cette exploration vaut d'être faite. Moi, je commence à en douter. C'est une histoire si parfaitement grotesque. Si démoralisante.

Mais il n'est pas assez tard dans la soirée pour agiter de pareilles questions. Et puis, j'ai à boucler mes valises. Dans quelques jours, je vous enverrai une carte postale avec ma nouvelle adresse. De toute façon, nous nous reverrons bientôt, j'espère. *Recevez mon meilleur souvenir.*

Charles LATIMER. »

X

# Les Huit-Anges

Latimer arriva à Paris un jour gris de novembre. Comme le taxi traversait le Pont-Neuf, il vit au long de la Seine un panorama de nuages bas et sombres poussés par le vent mordant. Les rangées de fenêtres avaient un air de secret, comme si chacune dissimulait un regard. Les passants étaient rares. En cet après-midi de fin d'automne, la ville avait la rigidité macabre d'une gravure à l'eau-forte.

En montant l'escalier de son hôtel, quai Voltaire, il souhaita avec ferveur d'être bientôt à Athènes. La chambre était froide. C'était trop tôt pour un apéritif. Il décida d'inspecter les abords de l'impasse des Huit-Anges. Il la trouva non sans peine dans une ruelle donnant rue de Rennes.

C'était un passage en forme de L, flanqué à l'entrée d'une grille de fer, fixée au mur par un lourd crampon, qui n'avait manifestement pas été fermée depuis longtemps. Les deux murs étaient aveugles, l'un portait en lettres noires : *Défense d'afficher.* Trois maisons seulement, situées sur le petit côté du L, hors de vue de la ruelle. La vie, impasse des Huit-Anges, devait ressembler à un entraînement pour le purgatoire. Ce devait être une opinion généralement partagée, car deux des trois maisons étaient vides ; la dernière, le numéro 3 précisément, n'avait de volets ouverts qu'au quatrième étage.

Se sentant comme en effraction, Latimer marcha sur le pavé inégal jusqu'à la porte du 3. Elle était ouverte et un couloir crasseux débouchait sur une cour noire et humide. La loge du concierge, à droite, était inoccupée. Un panneau de bois était censé porter les noms des locataires. Il n'y en avait qu'un, Caillé, maladroitement imprimé en violet sur un morceau de papier sale.

Rien à apprendre, songea Latimer, sinon que l'adresse existait, ce dont il n'avait d'ailleurs pas douté. Il revint rue de Rennes, acheta une carte *pneumatique* au bureau de poste, y inscrivit le nom de son hôtel et la jeta dans la boîte. Il envoya aussi une carte postale à Maroukakis. La suite dépendait maintenant de M. Peters. Mais il y avait quelque chose qu'il pouvait et devait faire : se renseigner sur ce que la presse de Paris avait dit de l'arrestation de la bande dirigée par Dimitrios, en décembre 1931.

Après le courrier du matin, qui n'apporta pas de réponse de Peters, Latimer se fit conduire vers les boulevards. Les archives du quotidien qu'il avait choisi comportaient un dossier sur l'affaire. La première coupure était datée du 29 novembre 1931 :

DES TRAFIQUANTS DE DROGUE ARRÊTÉS

« Un homme et une femme qui distribuaient des doses de drogue à des intoxiqués ont été arrêtés hier dans le quartier d'Alésia. Ils appartiendraient à un gang étranger important. La police devrait procéder à de nouvelles arrestations très prochainement. »

C'était bizarrement bref. La police avait dû exiger la discrétion de la presse. Le 4 décembre, l'article suivant était à peine plus explicite :

GANG DE LA DROGUE : NOUVELLES ARRESTATIONS

« Trois membres du réseau de distribution de drogue ont été arrêtés la nuit dernière dans un café proche de la porte d'Orléans. Les policiers ont été contraints de tirer sur un des bandits qui essayait de s'échapper. Il a été légèrement blessé. Les deux autres, dont un étranger, n'ont offert aucune résistance.

Cela porte à cinq les arrestations, dont les deux premières ont eu lieu la semaine dernière.

M. Auguste Lafon, chef de la Brigade des stupéfiants, nous a déclaré :

“ Nous connaissons depuis un certain temps l’existence de ce réseau. Nous avons attendu pour agir d’avoir recueilli des éléments permettant d’incriminer les dirigeants de ce gang international. Ce sont les chefs qui nous intéressent. Sans eux, sans l’approvisionnement d’origine étrangère, le menu fretin des revendeurs serait incapable de poursuivre son commerce criminel. Nous avons la ferme intention de démanteler ce gang et les autres bandes d’empoisonneurs qui infestent la capitale. ” »

Le 11 décembre, le titre s’étalait sur quatre colonnes à la une :

LE GANG DE LA DROGUE EST ANÉANTI

« Nous les avons tous », dit le commissaire Lafon.

LE CONSEIL DES SEPT

« Six hommes et une femme sont sous les verrous, aboutissement de l’enquête menée par M. Lafon, chef de la Brigade des stupéfiants, dans le milieu de Paris et de Marseille.

L’opération inaugurée il y a deux semaines par la capture de deux revendeurs dans le quartier d’Alésia s’est conclue hier par l’arrestation à Marseille des deux derniers membres du gang surnommé *le Conseil des sept,* responsable d’un réseau international de trafic de drogue.

Afin de ne pas alerter les criminels, la presse a accepté de ne pas divulguer les progrès de l’enquête. Cette restriction est enfin levée.

Tous les bandits sont aujourd’hui hors d’état de nuire. La femme, Lydia Prokofievna, est une Russe entrée en France en 1924, venant de Turquie, avec un passeport Nansen. Elle est connue dans le milieu sous le sobriquet de “ la Grande-Duchesse ”. Son complice, surnommé “ le Duc ”, est un Hollandais, Manus Visser.

Les cinq autres trafiquants sont : Luis Galindo, Mexicain naturalisé français, soigné à l’Hôtel-Dieu pour une blessure par balle à la cuisse ; Jean-Baptiste Lenôtre, de Bordeaux ; Jacob Werner, un Belge arrêté avec Galindo le 4 décembre près de la porte d'Orléans. En dernier lieu : le Niçois Pierre Lamare, dit Jojo, et Frederik Petersen, sujet danois, interpellés à Marseille.

Au cours de sa conférence de presse, le commissaire Lafon a déclaré : " Nous les avons tous. Le gang est anéanti. Nous avons coupé la tête du réseau et le corps ne tardera pas à mourir. Lamare et Petersen seront présentés aujourd'hui au juge d'instruction. Nous sommes débarrassés d'une association de crapules particulièrement répugnantes. " (Voir page 3 : Les Secrets de la Drogue). »

En Angleterre, pensa Latimer, M. Lafon aurait eu de sérieux ennuis pour avoir préjugé de la culpabilité de ces gens. Pourquoi se donner la peine de leur faire un procès, si la police et la presse les avaient déjà condamnés ? Il est vrai que, dans ce pays, c'est à l'accusé de fournir la preuve de son innocence, en fait sinon en droit.

L'article de la page 3 était signé : *Vigilant.* Il expliquait d'abord que la morphine était un dérivé de l'opium utilisé en médecine ; que l'héroïne, ou diacétylmorphine, était préférée par les drogués à cause de son action plus rapide et de la facilité de son emploi ; que la cocaïne provenait des feuilles du coca ; que les trois alcaloïdes avaient approximativement le même effet : euphorisant et aphrodisiaque au début de l'intoxication, puis, rapidement, une action dégénératrice tant physique que morale, s'achevant par la mort dans d'affreuses souffrances. *Vigilant* dénonçait ensuite le vaste trafic qui assassinait des millions de malheureux à travers le monde ; les usines de production clandestine qui fonctionnaient dans tous les pays d'Europe ; les réseaux contrôlés par des hommes riches et extérieurement respectables ; l'intimidation, le chantage, la corruption qui paralysaient les tentatives de répression. Pour une fois, la police avait frappé fort et juste. Mais il restait des milliers de Français et, oui, de Françaises ! torturés, asservis, tués par ces criminels diaboliques, qui sapaient la virilité de la nation. *Vigilant,* conclut Latimer, clamait une indignation tout à fait légitime. Seulement, il ne révélait guère les secrets de la drogue.

L'intérêt du public pour l'affaire semblait s'être dissipé après l'arrestation. Des entrefilets indiquaient que la Grande-Duchesse avait été transférée à Nice pour répondre d'un précédent délit. Les hommes furent jugés avant l'été. Galindo, Lenôtre et Werner furent condamnés à trois mois de prison et cinq mille francs d'amende ; Lamare, Petersen et Visser à un mois et deux mille francs.

Latimer fut stupéfait de la légèreté des peines. *Vigilant* s'étouffait de colère mais n'était pas étonné. Des lois périmées et grotesques, écrivait-il, remettent en circulation ces criminels odieux. Et sait-on qui est leur véritable chef ? La police suppose-t-elle que ces canailles médiocres ont financé un trafic portant, en un mois, sur deux millions et demi de francs ? La police...

C'était là que la presse approchait au plus près du fait que Dimitrios avait échappé à la justice. Certes, la police n'allait pas avouer qu'elle n'avait réussi que grâce à un collaborateur anonyme, probablement le maître du gang. Tout de même, se dit Latimer, c'est agaçant d'être mieux informé que les journaux sur lesquels je comptais pour élucider l'affaire. Il refermait le dossier, dégoûté, quand une illustration attira sa curiosité. C'était une photographie floue de trois des prisonniers entrant au tribunal, menottes aux poignets, conduits par des policiers. Ils détournaient la tête, mais les menottes les avaient empêchés de se cacher le visage.

Latimer quitta les bureaux du journal en souriant. Il n'avait pas perdu sa matinée.

Un message l'attendait à l'hôtel. Sauf contrordre par *pneumatique,* M. Peters viendrait à six heures.

Il arriva peu après cinq heures et demie, débordant d'effusions :

— Mon cher Latimer ! Je ne peux pas vous dire combien je suis heureux de vous revoir. J'osais à peine l'espérer. Notre dernière rencontre s'était déroulée sous des auspices si peu favorables... Bienvenue à Paris. Avez-vous fait bon voyage ? Vous avez une mine excellente. Dites-moi, Grodek vous a-t-il plu ? Il m'a écrit qu'il vous avait trouvé charmant et sympathique.

— Il m'a beaucoup aidé. Je vous en prie, asseyez-vous.

Peters se posa délicatement sur le bord du lit. Latimer resta debout.

— Grodek a été aussi très mystérieux. Il m'a vivement conseillé de vous rejoindre à Paris.

— Ah !

M. Peters ne parut pas enchanté.

— Que vous a-t-il dit d'autre ?

— Que vous êtes un homme intelligent. Il a trouvé une de mes remarques à votre propos très amusante.

Le gros homme ne souriait plus :

— Quelle remarque, monsieur Latimer ?

— Il a insisté pour apprendre quelles étaient nos relations. Je lui ai dit tout ce que je savais. Si ça ne vous arrange pas, tant pis. Vous n'aviez qu'à être plus franc avec moi.

— Grodek ne vous a pas expliqué ce dont il s'agissait ?

— Non. Il aurait pu le faire ?

Les lèvres molles s'ouvrirent à nouveau sur les fausses dents. C'était comme une fleur obscène s'épanouissant au soleil :

— Certainement, monsieur Latimer. Je comprends maintenant le ton amusé de sa lettre.

Latimer regarda pensivement Peters un long moment :

— Avez-vous votre pistolet sur vous, monsieur Peters ?

— Oh ! Pourquoi l'aurais-je apporté pour une visite amicale ?

L'écrivain alla à la porte, tourna la clé dans la serrure et l'empocha :

— Sans vouloir vous offenser, il y a des limites à la patience, dit-il sèchement. Je me suis dérangé pour vous rejoindre et je ne sais toujours pas pourquoi. J'exige de le savoir.

— Vous le saurez.

— J'ai déjà entendu ça, dit Latimer brutalement. Monsieur Peters, je ne suis pas un homme violent. Je déteste la violence. Mais il y a des situations où elle s'impose. Je trouve que c'est le cas. Je suis plus jeune que vous et en meilleure condition. Si vous persistez à faire des mystères, je vous saute dessus. D'autre part, je sais qui vous êtes. Votre nom n'est pas Peters. Vous vous appelez Frederik Petersen. Vous avez fait partie du gang de Dimitrios. Vous avez été arrêté en décembre 1931 et condamné à un mois de prison.

— Grodek vous a dit ça ?

Le sourire de Peters ressemblait au rictus d'un supplicié.

Le mot « Grodek » aurait pu être « Judas ».

— Non. J'ai vu une photographie ce matin dans un journal.

— Ah ! Je ne pouvais pas croire que mon ami Grodek...

— Vous ne niez pas ?

— Non. C'est la vérité.

— Bien. Alors, monsieur Petersen...

— Peters, s'il vous plaît.

— D'accord, Peters. Troisième point : à Istanbul, j'ai appris que votre bande avait fini de curieuse façon. Il paraît que Dimitrios vous a tous trahis en envoyant à la police un dossier anonyme. Est-ce vrai ?

— Il s'est bien mal conduit, soupira Peters.

— Il paraît aussi que Dimitrios se droguait. Vrai ?

— Hélas ! oui. Sinon, il ne nous aurait pas trahis. Nous lui rapportions tant d'argent !

— Vous avez tous menacé de le tuer dès que vous seriez libres, n'est-ce pas ?

— Non, pas moi. D'autres, oui. Galindo, par exemple, qui était de tempérament excité.

— Je vois. Vous n'avez pas menacé. Vous avez préféré agir.

— Je ne comprends pas, monsieur Latimer.

— Vraiment ? Dimitrios a été assassiné près d'Istanbul, il y a environ deux mois. Peu après, vous étiez à Athènes. Pas loin d'Istanbul, il me semble. Dimitrios est mort sans argent. Or, ce que je sais maintenant de lui me fait trouver ce fait invraisemblable. Bref, monsieur

Peters, je me demande sérieusement si vous n'avez pas tué Dimitrios pour son argent. Qu'avez-vous à répondre ?

Peters contemplait Latimer avec ennui, comme un professeur obligé de gronder un bon élève :

— Vous avez réellement de la chance. Supposons que j'aie tué Dimitrios. Que serais-je obligé de faire ? Je serais obligé de vous tuer aussi.

Sa main émergea, tenant le Lüger.

— Je vous ai menti, je l'admets. J'étais si curieux de savoir ce que vous feriez, croyant que je n'étais pas armé. Comprenez-vous mes sentiments ? Je suis si désireux d'avoir votre confiance.

— Réponse habile à une accusation de meurtre !

Peters rentra son pistolet d'un air las :

— Monsieur Latimer, ceci n'est pas un roman policier. Est-ce qu'il est vraiment *nécessaire* de se montrer aussi stupide ? Voyons, ayez un brin d'imagination. Croyez-vous que Dimitrios ait rédigé un testament en ma faveur ? Non ? Alors pourquoi pensez-vous que je l'ai tué pour son argent ? Aujourd'hui, les gens ne portent plus leur fortune dans leur ceinture. Allons, soyons raisonnables. Descendons dîner et parlons affaires. Ensuite, je vous suggère de venir prendre le café chez moi. C'est plus confortable que cette chambre. Si vous vous méfiez de moi, je comprendrais que vous préfériez un endroit public. Je ne peux pas vous en blâmer. Du moins, puisque nous avons à être ensemble, préservons les apparences de la sympathie.

Un instant, Latimer oublia son aversion. Peut-être parce que Peters oubliait également de sourire. De plus, l'homme savait à merveille lui donner l'impression qu'il était un imbécile ; inutile d'avoir encore celle d'être un poseur.

— Je ne vois aucune raison de ne pas aller chez vous. Cependant, je vous préviens que si je n'ai pas ce soir une explication satisfaisante, je partirai par le premier train, demi-million ou pas. Est-ce clair ?

— Parfaitement clair !

Le sourire refleurit.

— Comme ce serait mieux si nous pouvions être toujours aussi francs, toujours ouvrir notre cœur, sans crainte d'être mal compris ! Comme notre vie ici-bas serait plus agréable ! Ah, pourquoi ne pas reconnaître que nous sommes des instruments entre les mains de l'Etre suprême ? Que nous ne sommes pas libres. Donc, que nos petites hontes et nos petits remords ne sont que de vaines prétentions.

— Où allons-nous dîner ? Il y a un restaurant danois près d'ici, je crois.

M. Peters boutonnait son pardessus :

— Non, monsieur Latimer, vous savez très bien qu'il n'y en a pas. Ce n'est pas gentil de vous moquer de moi. Et puis la cuisine française est meilleure.

« Le talent de Peters pour me rendre ridicule, pensait Latimer en descendant l'escalier, touche au génie. »

A la suggestion et aux frais du gros homme, ils dînèrent dans un *bistrot* bon marché de la rue Jacob. Ils regagnèrent ensuite l'impasse des Huit-Anges.

— Nous ne dérangeons pas Caillé ? demanda Latimer en grimpant les marches poussiéreuses.

— Il est en voyage. Je dispose seul de l'appartement.

— Je vois.

M. Peters s'arrêta pour souffler au second étage :

— Vous avez conclu, je suppose, que je suis Caillé.

— Oui.

L'autre reprit son ascension. Comme un éléphant de cirque montant sur des cubes de bois, compara l'écrivain. Au quatrième étage, il fit face à une porte vermoulue et tira un trousseau de clés. Il ouvrit, alluma, fit signe d'entrer.

Une longue pièce occupait toute la largeur de l'immeuble. Elle avait une fenêtre à chaque extrémité. C'était, pour la disposition, le genre d'architecture que l'on s'attendait à trouver dans un immeuble de ce type et de cet âge. Mais la décoration était fantastique.

Un rideau en imitation de brocart d'or la séparait en deux. Les murs et le plafond étaient peints en bleu vif et constellés d'étoiles dorées. Des tapis marocains couvraient le sol, se recoupant au point qu'il y avait des bosses de trois ou quatre épaisseurs. La demi-pièce proche de la porte formait alcôve ; elle contenait trois divans bas, chargés de coussins, des tabourets de cuir, une table ottomane portant un plateau de cuivre repoussé, un énorme gong. L'éclairage filtrait de lanternes suspendues. Dans un coin, un radiateur électrique. Et une puissante odeur de poussière.

— Rien ne vaut son chez-soi, dit M. Peters. Débarrassez-vous, cher ami. Voulez-vous voir le reste de l'appartement ?

— Oh oui ! dit Latimer avec sincérité.

— Extérieurement, juste une maison française banale. Intérieurement, une oasis dans le désert. Voici ma chambre.

Latimer entrevit un nouvel échantillon de style franco-marocain. Le lit était orné d'un pyjama de flanelle chiffonné.

— Les toilettes.

Latimer apprit que son hôte avait un dentier de secours.

— Je vais vous montrer quelque chose de curieux.

Peters ouvrit une grande penderie. Il saisit le portemanteau au centre de la rangée, tira. Le fond du meuble pivota. Une bouffée d'air frais et la rumeur de la ville entrèrent soudain dans le meuble.

— Il y a une passerelle métallique qui conduit à l'immeuble voisin. Elle donne dans un placard semblable à celui-ci. On ne voit rien d'en bas, ni d'en face puisque le mur est aveugle. C'est Dimitrios qui a fait fabriquer cette issue.

— Dimitrios ?

— Il était propriétaire des trois immeubles. Ils servaient d'entrepôt. Moralement, ils lui appartiennent toujours. Par bonheur, il avait pris la précaution de les mettre à mon nom ; la police ne les a pas repérés. En sortant de prison, j'ai pu m'y installer. Pour le cas où Dimitrios se serait demandé ce qu'était devenue sa propriété, j'ai eu soin de les racheter à moi-même, sous le nom fictif de Caillé.

Il poussa le portemanteau, ferma la penderie :

— Aimez-vous le café turc ?

— Oui.

— Il est un peu plus long à préparer que le café français, mais je le préfère. Mettez-vous à l'aise, je vous en prie.

Latimer installé sur l'un des divans, Peters passa de l'autre côté du rideau. C'était une étrange sensation de penser que cette maison avait abrité Dimitrios. Et l'intimité de Peters ne l'était pas moins. Il y avait une étagère chargée de livres. *Les Perles de la sagesse quotidienne*, bien sûr ; *le Banquet* de Platon, en français, non coupé ; une *Anthologie érotique*, coupée ; les *Fables* d'Esope, en anglais ; les œuvres du docteur Frank Crane, dans une langue qui semblait être le danois ; d'autres classiques de spiritualité et d'occultisme populaires ; d'autres grands auteurs, peu feuilletés ; d'autres érotiques beaucoup plus fatigués.

M. Peters revint, posant sur le plateau de cuivre un curieux percolateur, une lampe à alcool, deux tasses et un coffret à cigarettes marocain. Il alluma la lampe à alcool, disposa le percolateur et, se redressant lourdement, il prit au-dessus de la tête de Latimer un ouvrage du docteur Crane. Il le secoua. Une photographie tomba, qu'il tendit :

— Qui est-ce, monsieur Latimer ?

C'était un portrait fané d'un homme entre deux âges...

— Dimitrios, s'exclama Latimer. Où l'avez-vous trouvée ?

— Vous le reconnaissez ? Bien.

Il reprit la photo, la rangea et régla la flamme de la lampe.

S'il avait été possible que ses yeux humides et ternes brillent, Latimer aurait dit qu'ils brillaient de plaisir.

— Servez-vous de cigarettes, monsieur Latimer. Je vais vous raconter une histoire.

## XI

# Paris, 1928-1931

— Souvent, le soir, au terme d'une journée de travail, dit M. Peters rêveusement, je me demande si ma vie est aussi réussie qu'elle aurait pu l'être. Oui, j'ai ramassé un peu d'argent. Des *rentes,* des actions çà et là. Mais l'argent n'est pas tout. Je pense parfois que j'aurais mieux fait de me marier et d'élever des enfants. Seulement, je m'intéresse trop au monde en général pour me limiter à un petit monde privé. Peut-être est-ce parce que je n'ai jamais su ce que je voulais de la vie. Comme tant de pauvres humains ! Nous allons, année après année, toujours cherchant, toujours espérant... quoi ? Nous ne le savons pas. De l'argent ? Je pense parfois que celui qui n'a qu'une croûte de pain est plus heureux que beaucoup de millionnaires. Car il sait ce qu'il espère : deux croûtes. Moi, je ne sais qu'une chose : il y a quelque chose que je désire par-dessus tout. Mais je ne sais pas ce que c'est. J'ai cherché une consolation dans la philosophie.

Il indiqua d'un geste désabusé l'étagère de livres.

— Platon, Wells, j'ai énormément lu. Cela réconforte ; cela ne satisfait pas.

Il sourit courageusement, victime patiente de la *Weltschmerz.*

— Il nous faut tous attendre que le grand Etre nous rappelle à lui.

Il se tut et se pencha vers le percolateur. Latimer se demandait s'il avait jamais détesté quelqu'un autant que Peters. Le pire était que le gros homme croyait manifestement à son charabia pseudo-mystique. Il était comme composé de deux personnalités distinctes. L'une qui trafiquait, achetait des *rentes,* lisait des anthologies érotiques ; l'autre qui sécrétait une religiosité épaisse et obscène. S'il jouait consciemment la comédie, ce serait drôle. La sincérité le rendait odieux.

L'objet de cette réflexion éteignit la lampe à alcool et ajusta délicatement, presque tendrement, le filtre. Il était difficile, songea Latimer, de détester un homme qui vous prépare du café.

— Oui, monsieur Latimer, nous traversons la vie sans savoir ce que nous voulons. Mais Dimitrios n'était pas comme nous. Il savait exactement ce qu'il voulait. L'argent, le pouvoir. Rien d'autre, et autant qu'il pouvait en prendre. Il ne s'intéressait aux hommes que dans la mesure où ils lui servaient à atteindre ses buts. Moi-même, je lui ai servi.

» C'était en 1928, ici, à Paris. J'étais alors associé avec un nommé Giraud. Nous étions propriétaires d'une *boîte* de la rue Blanche, *la Kasbah de Paris.* C'était un endroit gai et intime, avec des divans, des tapis, des lumières tamisées. J'avais rencontré Giraud à Marrakech. Nous avions décidé que tout serait comme dans une *boîte* que nous avions aimée là-bas. Tout était marocain, sauf l'orchestre, qui était sud-américain.

» Nous avions ouvert en 1926, ce qui était une bonne année en France. Les Américains et les Anglais avaient de l'argent à dépenser ; les Français venaient aussi. Beaucoup de Français sont sentimentaux à propos du Maroc. Nous avions des garçons arabes et sénégalais. Le champagne lui-même était marocain : un peu doux mais pas plus mauvais que ce qu'on servait ailleurs et très bon marché.

» Il faut du temps, vous savez, et de la chance pour se faire une clientèle. C'est curieux comme tout le monde se précipite soudain dans une *boîte* parmi d'autres, seulement parce que tout le monde y vient. Il y a certains moyens de les attirer, bien sûr. Les guides touristiques, par exemple. Mais il faut les payer et cela réduit les bénéfices. On peut aussi faire de son établissement un lieu de rencontre pour une clientèle spéciale. Seulement, la police vous surveille, même si on ne fait rien d'illégal. Giraud et moi, nous avons eu de la chance. Et puis nous avions réuni de bons éléments : un *chasseur* actif, un orchestre qui jouait bien le tango, qui était *chic* à cause de Rudolph Valentino. On venait danser. Nous étions ouvert jusqu'à cinq heures du matin. Les gens qui sortaient des autres *boîtes* finissaient la nuit chez nous.

» Pendant deux ans, nous avons fait de belles affaires. Et puis, comme ça arrive dans ce métier, la clientèle a changé. Nous avons eu plus de Français et moins d'Américains, plus de *gigolos* et moins de gentlemen, plus de *poules* et moins de *femmes du monde.* Je me suis dit qu'il était temps de changer aussi.

» C'est dans ces circonstances que Giraud a conduit Dimitrios à *la Kasbah.*

» Mon associé était le fils d'un soldat français et d'une Arabe. Il était né à Alger et il avait un passeport français. Si je n'avais pas eu besoin de lui pour ouvrir *la Kasbah,* je m'en serais bien passé. Non seulement il n'avait pas confiance en moi, ce qui m'était désagréable, mais je ne pouvais pas avoir confiance en lui. Il essayait de me voler dans les comptes et, quoiqu'il n'y ait jamais réussi, je n'aimais pas ça. Je n'ai jamais supporté la malhonnêteté. Au printemps de 1928, j'étais très fatigué de Giraud.

» Un soir, il amena Dimitrios. Je suppose qu'il l'avait rencontré dans une autre *boîte* de la rue Blanche, où il allait danser avant l'ouverture de la nôtre. Il me prit à part et me dit que son ami nous proposait une affaire, ce qui tombait bien puisque nos profits étaient en baisse.

» Dimitrios ne m'impressionna pas la première fois que je le vis. Il avait une allure de *maquereau,* avec des vêtements trop élégants, des tempes grisonnantes, des ongles vernis. Il regardait les femmes d'une façon qui ne plairait pas à la clientèle de *la Kasbah.* Je lui serrai la main. Il indiqua la chaise à côté de lui et me dit de m'asseoir. On aurait cru que j'étais un serveur et non le *patron.*

» Vous devez penser, monsieur Latimer, que je me souviens trop bien de cette rencontre avec un homme qui ne faisait pas une grande impression sur moi. C'est vrai. Dimitrios était impressionnant d'une façon automatique ; il agissait sur l'inconscient. Sur le moment, je crus être irrité. Sans m'asseoir, je lui demandai ce qu'il voulait.

» Il m'examina de ses yeux bruns, veloutés, et dit : " Je veux du champagne, mon ami. Je le paierai. Allez-vous être poli avec moi ou dois-je proposer mon affaire à des gens plus intelligents ? "

» Vous savez que je suis patient. Je pense souvent que notre monde serait plus agréable si nous étions tous polis et aimables les uns avec les autres. Mais il y a des moments où c'est difficile. Je répondis que rien ne me forçait à être aimable et qu'il pouvait aller où bon lui semblait.

» Sans Giraud, il serait parti ; nous ne serions pas ici vous et moi. Giraud s'excusa pour moi, tandis que Dimitrios m'étudiait. Pour ne pas provoquer une histoire, je m'assis, décidé à refuser l'affaire. Dimitrios parla et, une heure plus tard, j'avais accepté. Notre association dura plusieurs mois, quand un jour...

— Quelle était cette association, interrompit Latimer, le trafic de drogue ?

M. Peters hésita :

— Non, monsieur Latimer. Ce n'était pas ça.

L'écrivain attendit. Le gros homme fronçait les sourcils :

— Je vous le dirai si vous insistez. Mais ce n'est pas commode d'expliquer ces choses à un homme qui ne comprend pas le *milieu.* C'est tellement en dehors de votre expérience.

— Vraiment ?

— Cher monsieur, j'ai lu un de vos livres. Il m'a épouvanté. Il y avait une atmosphère d'intolérance, de préjugé, de rigueur morale tout à fait inquiétante.

— Je vois.

— Humm ! Personnellement, je ne suis pas opposé à la peine de mort. Vous l'êtes. La réalité de l'exécution capitale vous soulève le cœur. Cependant, vous conduisez vos criminels à la potence avec une sorte de compassion allègre et sereine qui me donne la chair de poule. C'est tout à fait britannique. Je ne crains pas votre censure morale, monsieur Latimer. Mais que vous soyez choqué m'ennuie.

— Comme vous ne m'avez pas dit ce qui pourrait me choquer, remarqua Latimer, dominant son irritation avec peine, je ne peux pas vous répondre.

— Naturellement. Pardonnez-moi cette question : est-ce que vous n'êtes pas attiré par Dimitrios justement parce qu'il vous choque ?

Latimer réfléchit un moment :

— Ce peut être vrai. Pourtant, j'essaie de le comprendre, de l'expliquer. Je ne crois pas à cette sorte de démon professionnel, inhumain, que décrivent les romans criminels. Et malgré tout, plus je connais Dimitrios, plus je dois admettre qu'il agissait avec une inhumanité révoltante. Pas une ou deux fois ; toujours.

— Le désir d'argent et de puissance est-il inhumain ? La vanité est-elle inhumaine ? Dimitrios avait une vanité infinie à satisfaire. Non pas le petit besoin de succès aux yeux d'autrui qui pousse les gens médiocres à faire tant de sottises. C'était une volupté intime de s'admirer lui-même. Soyons raisonnables. La différence entre Dimitrios et les hommes d'affaires les plus respectables n'est que dans les méthodes. Les unes sont légales, les autres illégales. Les unes et les autres sont également sans pitié.

— Allons donc !

— La différence, si vous voulez, était dans l'éducation. Dimitrios n'en avait aucune. Les valeurs morales n'existaient pas pour lui. En conséquence, il n'avait pas à réussir dans ce domaine, comme les hommes d'affaires bien élevés, pour atteindre l'approbation de lui-même. Ah ! le café est prêt.

Il emplit les tasses, porta la sienne à son nez et respira l'arôme. Il la reposa :

— Dimitrios travaillait à l'époque dans la traite des Blanches. L'expression me fascine. Ce trafic porte en fait sur une majorité de femmes de couleur. Je ne vois pas qu'il soit plus pénible pour une fille des taudis de Bucarest que pour une fille de Dakar ou de Shanghai de supporter vingt ou trente hommes par nuit. Mais seules les Blanches semblent mériter l'intérêt de la morale civilisée. Passons. Moi, je n'ai jamais aimé ce commerce. Et puis, il y a toujours des histoires. C'est peut-être illogique et sentimental, pourtant, je réprouve que des êtres humains soient traités comme une marchandise. D'autre part, les investissements nécessaires sont énormes. Les faux certificats de naissance, de mariage et de décès. Les frais de transport. Les pots-de-vin. Vous n'avez pas idée de ce que coûte le moindre faux papier, monsieur Latimer. Une organisation de traite de femmes, comme dit la Société des Nations avec une louable objectivité, réclame un gros capital. Il y a certes des quantités de gens qui sont disposés à le fournir à un organisateur compétent. Mais ils attendent des bénéfices rapides et énormes. Si l'on veut vraiment se livrer à cette déplorable activité, il faut avoir son propre capital.

» Dimitrios avait son propre capital, et aussi les fonds d'autres personnes à sa disposition. Les difficultés qui lui faisaient chercher notre aide, à Giraud et à moi, étaient d'un ordre différent. La Société des Nations avait créé une nouvelle législation, qui rendait très difficile le transfert des femmes d'un endroit à un autre. Très louable, quoique gênante pour des hommes comme Dimitrios. Ça ne les empêchait pas de travailler. Mais leur entreprise était plus compliquée et plus coûteuse.

» Jusqu'alors, Dimitrios avait une technique très simple. Ses clients d'Alexandrie lui passaient une commande. Il allait, disons, en Pologne recruter des femmes. Il les envoyait en France avec leurs vrais passeports et les embarquait à Marseille. La nouvelle législation venait de rendre cette méthode élémentaire de transit assez risquée. Il nous dit, ce premier soir, qu'il avait sur les bras un lot de douze filles, acquises à Vilna. Les autorités polonaises refusaient de les laisser sortir du pays sans garanties quant à leur destination et à la respectabilité de leur futur emploi. Respectabilité ! Mais c'était la loi.

» Dimitrios avait naturellement promis que les plus

solides garanties seraient fournies dans les plus brefs délais. Il devait tenir sa promesse, sous peine d'être considéré comme suspect. C'est là que nous entrions dans le circuit, Giraud et moi. Nous nous engagions à certifier auprès des Polonais que les filles travailleraient à *la Kasbah* comme danseuses. Si le consulat enquêtait pendant la semaine où elles seraient réellement chez nous, nous étions tranquilles. Ensuite, nous n'avions qu'à répondre qu'elles étaient parties, à la fin de leur contrat. Pour où ? Ce n'était plus notre affaire.

» Dimitrios nous offrait cinq mille francs contre notre garantie. C'était de l'argent facilement gagné. Je n'étais tout de même pas chaud. Giraud insista et je finis par accepter, en soulignant que je n'étais d'accord que pour cette seule opération. Je ne m'engageais pas à l'aider ultérieurement.

» Un mois plus tard, Dimitrios nous paya les cinq mille francs et nous proposa de recommencer aux mêmes conditions. Je refusai, mais Giraud insista : nous n'avions pas eu d'ennuis la première fois ; l'argent tombait à point ; il payait l'orchestre pour une bonne semaine. Je me suis laissé faire.

» Je pense aujourd'hui que Dimitrios nous avait menti. Nous n'avions pas vraiment gagné ces cinq mille francs. C'était un moyen de nous mettre en confiance. Dimitrios procédait souvent ainsi, afin que le bon sens des gens qu'il achetait combatte leur suspicion instinctive à son égard.

» Car, la seconde fois, nous avons eu beaucoup d'ennuis. Le consulat fit des histoires, et la police des contrôles. Pire, les femmes devaient rester à *la Kasbah* pour prouver qu'elles y étaient bien employées. Elles ne savaient pas danser ; il fallait être poli avec elles par crainte qu'elles n'aillent tout raconter à la police ; elles buvaient du champagne et, si Dimitrios ne l'avait pas payé, nous aurions perdu de l'argent.

» Naturellement, il s'excusa et nous promit que ça ne se reproduirait pas. Pendant plusieurs mois, il nous versa dix mille francs. A part quelques descentes de police, il n'y eut pas de gros ennuis. Et puis, une intervention du consulat d'Italie faillit tourner à la catastrophe. Giraud et moi fûmes interrogés une journée entière au commissariat.

» Sitôt de retour à *la Kasbah*, je me disputai violemment avec Giraud. D'ailleurs, j'en avais assez de lui. Il encourageait une clientèle détestable. Il appelait les gens : *mon gars.* Il avait les manières d'un *patron de bistrot.* C'est peut-être ce qu'il est devenu. Mais je parierais qu'il est plutôt en prison. Il était aussi violent qu'il était bête.

» Donc, je lui dis que je ne voulais plus de ce trafic de femmes. Il se mit en colère, dit que j'étais idiot de renoncer à ces dix mille francs par peur de la police et que j'étais trop nerveux pour son goût. Notez que je comprenais son point de vue. Il avait eu souvent affaire à la police en Algérie et au Maroc. Pourvu qu'il n'aille pas en prison et fasse de l'argent, il était satisfait. Moi, je n'aime pas que la police s'intéresse à moi, même si elle ne peut pas m'arrêter. Giraud avait raison : j'étais nerveux. Je lui offris de lui céder mes parts de *la Kasbah* pour la somme que j'y avais investie au début.

» C'était un sacrifice, mais je voulais me séparer de Giraud à n'importe quel prix. Il accepta immédiatement. Le soir, Dimitrios vint nous voir. Nous lui fîmes part de notre décision. Giraud était enchanté et me harcelait de plaisanteries grossières. Dimitrios souriait. Quand Giraud nous laissa seuls un instant, il me demanda de le rejoindre un peu plus tard dans un café.

» J'ai failli ne pas y aller. Je ne regrette pas finalement d'y être allé. Mon association avec Dimitrios a été profitable et je crois que rares sont les associés de cet homme qui peuvent en dire autant. J'ai eu de la chance. Et il respectait mon intelligence, je crois. Il pouvait généralement me bluffer ; mais pas toujours.

» Il attendait au café. Je m'assis à côté de lui et je demandai ce qu'il me voulait. Je n'étais jamais poli avec lui.

» Il me dit : “ Vous avez raison de quitter Giraud. Les affaires de femmes deviennent trop dangereuses. J'y renonce moi-même. ” Je lui demandai s'il allait dire ça à Giraud. Il sourit : “ Pas encore. Pas avant qu'il vous ait payé ce qu'il vous doit. ”

» Je lui dis, méfiant, que c'était bien aimable de sa part. Il secoua la tête impatiemment : “ Giraud est un imbécile. Si vous n'aviez pas été là, jamais je n'aurais travaillé avec lui. Je voudrais maintenant vous associer à mes affaires. Je ne vais donc pas commencer par vous faire perdre votre capital de *la Kasbah.* ”

» Il me demanda alors si je connaissais le commerce de l'héroïne. Je le connaissais un peu. Il m'expliqua qu'il avait un capital suffisant pour acheter vingt kilogrammes par mois et pour en financer la distribution.

» Vingt kilos d'héroïne, c'est une affaire sérieuse, monsieur Latimer. Je demandai à Dimitrios comment il se proposait de distribuer une telle quantité. Il dit que ça ne me concernait pas pour le moment. Mon rôle consisterait à négocier l'achat à l'étranger et à rentrer le produit en France. Si j'étais d'accord, j'irais d'abord en Bulgarie, chez des gens auprès desquels il était déjà introduit. Je toucherais dix pour cent de la valeur de chaque kilo rapporté à Paris.

» Je dis que j'allais y réfléchir, mais ma décision était prise. Je pouvais me faire dans les vingt mille francs par mois. Dimitrios, bien sûr, énormément plus. Même avec ma commission, la drogue lui reviendrait à environ quinze mille francs le kilo. Vendue au gramme à Paris, l'héroïne rapportait cent mille francs le kilo. Frais de distribution et autres déduits, il gagnerait plus d'un demi-million par mois. Le capital est une chose étonnante, quand on sait qu'en faire et qu'on ne craint pas un petit risque.

» En septembre 1928, je partis pour la Bulgarie. Je rencontrai un homme à Sofia, qui me mit en contact avec les fournisseurs et arrangea les questions de transfert de fonds. Je...

Latimer eut une intuition :

— Comment s'appelait cet homme ?

M. Peters fronça les sourcils :

— Je ne pense pas que vous devez me demander ça, monsieur Latimer.

— Etait-ce Vazoff ?

— Oui.

— Et les fonds étaient transférés par le Crédit Eurasien ?

— Vous en savez plus que je ne croyais, dit M. Peters, mécontent. Puis-je demander...

— Une simple supposition. Ne vous souciez pas de compromettre Vazoff. Il est mort il y a trois ans.

— Je sais. Egalement une supposition ? Qu'est-ce que vous supposez encore, monsieur Latimer ?

— Rien. Continuez, s'il vous plaît.

— La franchise... commença M. Peters.

Il s'arrêta et vida sa tasse.

— Oui, monsieur Latimer, je reconnais que vous avez raison. J'achetai l'héroïne par l'intermédiaire de Vazoff et le paiement fut effectué par le Crédit Eurasien. C'était enfantin. La difficulté était de livrer le colis en France. Les seuls produits régulièrement exportés par la Bulgarie sont le tabac et l'essence de rose. Comment éviter l'inspection de la douane ? J'étais très embarrassé.

Il fit une pause dramatique.

— Eh bien, qu'avez-vous fait ?

— Les Français, ai-je réfléchi, ont un grand respect pour la solennité de la mort. Avez-vous déjà assisté à un enterrement en France ? *Les Pompes funèbres.* Tout à fait impressionnant. Les douaniers ne joueraient pas les vampires. J'ai acheté un magnifique cercueil à Sofia, un complet noir, et je me suis embarqué à Salonique pour Marseille. Je suis un homme sensible : j'ai été vraiment ému par les marques de respect qui m'ont entouré au long du voyage. Même mes bagages personnels n'ont pas été visités.

» J'avais averti Dimitrios et un corbillard m'attendait sur le quai. J'étais content de moi, mais Dimitrios haussa les épaules quand je le retrouvai. Il dit, très justement, que je ne pouvais pas arriver en France chaque mois avec un cercueil. Il avait organisé de son côté un cheminement régulier. L'héroïne serait dissimulée dans un chargement de tabac qui venait régulièrement de Varna à Gênes. Il connaissait un homme à Nice, qui lui ferait franchir la frontière et l'expédierait par la route. Je lui demandai si cela affecterait mes pourcentages. Il répondit que je ne perdrais rien, parce que j'aurais d'autres fonctions à assurer.

» C'est curieux de voir comme nous acceptions son autorité sans discussion. Oui, il avait l'argent. Ce n'était pourtant pas tout. Il nous dominait parce qu'il savait précisément ce qu'il voulait et comment y parvenir au moindre effort et au moindre prix. Il savait trouver des gens qui travailleraient pour lui et comment les tenir en main.

» Nous étions sept à recevoir directement nos instructions de Dimitrios. Aucun d'entre nous n'était du genre à obéir facilement. Par exemple Visser, le Néerlandais, avait vendu des mitrailleuses allemandes aux Chinois, espionné pour les Japonais et fait des travaux forcés pour avoir tué un coolie à Batavia. Un vrai dur. Il était chargé des contacts avec les bars et les clubs grâce auxquels nous touchions les intoxiqués.

» Le système de distribution était soigneusement monté. Lenôtre et Galindo avaient travaillé pendant des années pour un gros laboratoire clandestin français. C'était relativement aisé avant 1931. Ils savaient à fond quelle était la clientèle et où elle se trouvait. Avant Dimitrios, ils avaient vendu surtout de la morphine et de la cocaïne. Ils avaient été handicapés par le manque de produit. Lorsque Dimitrios leur offrit des quantités illimitées d'héroïne, ils abandonnèrent immédiatement leur chimiste.

» Mais ce n'était qu'une partie du métier. Les intoxiqués, vous le savez, sont des prosélytes. Votre clientèle s'accroît donc automatiquement. Le problème, vous l'imaginez sans peine, est de veiller à ce que les nouveaux clients ne soient pas des inspecteurs de la *Brigade des stupéfiants.* C'était l'affaire de Visser. Le nouveau client venait, disons, sur la recommandation d'un habitué connu de Lenôtre. Celui-ci faisait d'abord l'étonné. De la drogue ? Il n'en prenait pas personnellement et ne savait pas du tout où l'on pouvait s'en procurer. Ah, si ! Il avait vaguement entendu dire que l'on en vendait au bar Untel. Là, le client recevait la même réponse. De la drogue ? Non, le bar Untel ne voulait rien avoir à faire avec ça. Mais il y aurait peut-être demain soir quelqu'un qui pourrait donner un tuyau. Le lendemain soir, la Grande-Duchesse était installée au bar.

» C'était une curieuse femme, une découverte de Visser, le seul élément de notre organisation à ne pas avoir été recruté par Dimitrios. Elle avait une vive intelligence et un talent extraordinaire pour évaluer les inconnus. Elle pouvait repérer le policier le mieux déguisé en le regardant un instant. Son rôle consistait à examiner les futurs acheteurs et à fixer le prix qui leur serait demandé. Elle nous était très précieuse.

» Werner, le Belge, était chargé des relations avec les revendeurs. C'était un ancien chimiste. Je suppose qu'il s'occupait également d'allonger l'héroïne en y ajoutant de la poudre de lait. Dimitrios ne parlait jamais de cet aspect de l'opération.

» Ce coupage de l'héroïne était devenu nécessaire. Six mois après mon premier voyage, je devais fournir cinquante kilos d'héroïne par mois. De plus, Lenôtre et Galindo réclamaient aussi de la morphine et de la cocaïne. Certains intoxiqués préfèrent ces drogues à l'héroïne. La manufacture bulgare nous alimenta en morphine. Mais, pour la cocaïne, je dus aller en Allemagne. J'avais du travail par-dessus la tête.

» Nous avions naturellement beaucoup de difficultés. Surtout dans mon secteur. Au bout d'un an, j'avais multiplé les circuits d'approvisionnement. A part la route de Gênes, que Lamare supervisait, je m'étais arrangé avec un garçon des wagons-lits qui faisait la ligne de l'Orient-Express. Ce n'était pas un procédé très sûr, mais il était rapide. J'avais pris une quantité de précautions pour me protéger en cas d'accident. La cocaïne venait d'Allemagne cachée dans un envoi d'appareils mécaniques. Nous recevions aussi un chargement d'héroïne d'une manufacture d'Istanbul. Un cargo turc le laissait dans un container flottant, ancré près du port de Marseille.

» La dernière semaine de juin 1929 fut un vrai désastre. Quinze kilos d'héroïne furent saisis dans l'Orient-Express et six de mes hommes furent arrêtés, y compris le garçon des wagons-lits. Lamare dut abandonner quarante kilos d'héroïne et de morphine près de Sospel. Il réussit à s'échapper, ce qui ne nous empêcha pas d'être très ennuyés : nous n'avions que huit kilos de marchandise pour faire face à des commandes représentant plus de cinquante kilos. Lenôtre, Galindo et Werner ne savaient pas comment s'en sortir. Deux de nos habitués se suicidèrent. Werner faillit se faire écharper au cours d'une bagarre dans une boîte de nuit.

» Je me dévouai. J'allai moi-même à Sofia et je rapportai dix kilos de drogue dans une valise. Ça ne suffisait pas. Dimitrios, je dois le dire, ne me fit aucun reproche. Il décida de constituer un stock. Il acheta ces maisons où nous sommes, à la fois pour abriter les réserves et pour servir de quartier général. Jusque-là, nous nous rencontrions dans l'arrière-salle d'un café proche de la porte d'Orléans. Nous ne savions pas son adresse et nous ne pouvions pas le toucher s'il ne téléphonait pas à l'un d'entre nous. Nous avons compris par la suite que c'était pour nous un sérieux désavantage.

» J'eus la responsabilité de constituer les stocks. Ce ne fut pas facile. Il fallait en même temps faire face à une demande accrue. Je dus en conséquence augmenter les arrivages, ce qui aggravait d'autant les risques, et trouver de nouvelles routes d'importation. Et puis le Gouvernement bulgare ferma la manufacture de Radomir qui était notre principal fournisseur. Elle fut bientôt réinstallée dans une autre province du pays, mais le délai fut dur à passer. Quelle époque ! En deux mois, j'ai perdu quatre-vingt-dix kilos d'héroïne, vingt de morphine et cinq de cocaïne. Malgré tout, je réussis à accumuler des réserves. A la fin de 1930, nous avions, sous le plancher de ces maisons, deux cent cinquante kilos d'héroïne, environ deux cents kilos de morphine, près de cent kilos de cocaïne et un peu d'opium turc.

M. Peters versa le reste du café et éteignit la lampe à alcool. Il prit une cigarette, en humecta l'extrémité du bout de la langue et l'alluma.

— Connaissez-vous des drogués, monsieur Latimer? demanda-t-il soudain.

— Je ne crois pas.

— Vous ne *croyez* pas. Vous n'en êtes pas sûr. Oui, il est possible à un intoxiqué de dissimuler sa petite faiblesse pendant quelque temps. Mais il, et surtout elle, ne le peut pas indéfiniment. Le processus est presque toujours le même. Il commence par une expérience. Un demi-gramme, pour voir. La première fois, cela vous donne une sensation bizarre, ou un léger malaise. Vous recommencez et, cette fois, c'est comme cela doit être. Un état délicieux, chaud, brillant. Le temps s'arrête. L'esprit va à une allure vertigineuse et, vous semble-t-il, agit avec une incroyable puissance. Vous étiez stupide; vous devenez suprêmement intelligent. Vous étiez malheureux; rien ne peut vous atteindre. Ce que vous n'aimez pas, vous l'oubliez. Ce que vous aimez, vous l'éprouvez avec une intensité de plaisir inimaginable. Trois heures de paradis. Ensuite, vous n'êtes même pas souffrant; moins que si vous aviez bu trop de champagne. Vous avez besoin de calme; vous êtes un peu vaseux; c'est tout. Très vite, vous êtes revenu à la normale. Rien n'est arrivé, sinon que vous avez été infiniment heureux. Vous n'êtes pas forcé de recommencer, mais pourquoi vous priver d'un autre moment de bonheur? Comme vous êtes une personne sensée, vous vous promettez de ne pas laisser la drogue devenir un besoin. Vous prenez votre demi-gramme. Cette fois-ci, le bonheur attendu ne se produit pas. La dose n'était pas suffisante. Il ne faut pas rester sur cette déception. Juste un autre tour au paradis, avant d'y renoncer pour toujours. Un gramme. C'est à nouveau merveilleux et sans plus de désagréments. Alors, vous continuez encore un petit peu. Il sera temps de cesser au premier véritable signal d'alarme. Il faudrait être idiot pour devenir un drogué. Un gramme et demi. Maintenant, la vie vaut d'être vécue. Quand on pense qu'elle était si vide et si terne, il y a seulement trois mois ! Deux grammes. Naturellement, vous vous sentez assez mal, entre les prises. Il faudra vous arrêter d'ici peu. Deux grammes et demi. Votre gorge est affreusement sèche. Les gens vous portent sur les nerfs. Peut-être parce que vous dormez mal. Ils font du bruit. Ils parlent trop fort. Et que disent-ils, hein ? Du mal de vous, bien sûr. Vous le voyez à leur expression. Trois grammes. S'il n'y avait pas les heures de paradis, l'existence serait insupportable. La nourriture vous donne la nausée. Vous oubliez les choses les plus importantes. Votre nez coule constamment. Il ne coule pas vraiment, mais vous en avez l'impression et vous devez le toucher sans cesse pour vous rassurer. Il y a aussi la mouche. Elle ne vous laisse pas tranquille une seconde. Elle se pose sur votre cou, votre main, votre visage. Trois grammes et demi... Vous imaginez, monsieur Latimer ?

— Vous ne paraissez pas approuver l'habitude de se droguer.

— Approuver !

M. Peters ouvrit de grands yeux.

— C'est *terrible.* Les malheureux perdent la faculté de travailler alors que la drogue coûte cher. Ils deviennent désespérés, prêts au crime pour assouvir leur vice. Je sais ce que vous pensez, monsieur Latimer. Vous trouvez étrange que j'aie fait ce métier en ayant conscience du drame qu'il provoque. Voyons, si je n'avais pas gagné cet argent, d'autres l'auraient fait. Aucun de ces pauvres gens ne s'en serait mieux trouvé et j'aurais beaucoup perdu.

— Et l'accroissement de votre clientèle ? Vous ne prétendez pas que tous vos clients étaient déjà des intoxiqués avant le début de votre trafic ?

— Evidemment non. Mais cet aspect de l'affaire n'avait rien à voir avec moi personnellement. C'était la partie de Lenôtre et de Galindo. J'ajoute qu'ils étaient eux-mêmes intoxiqués, ainsi que Werner. Ils prisaient de la cocaïne. Ce n'est pas moins dangereux à la longue ; seulement, on est un grand drogué en quelques mois avec l'héroïne, tandis qu'on peut passer plusieurs années à se tuer avec la cocaïne.

— Que prenait Dimitrios ?

— De l'héroïne. Ce fut une réelle surprise pour nous de le découvrir. Nous avions l'habitude de nous réunir dans cette pièce à dates fixes, à six heures précises. Un soir, au printemps de 1931, Dimitrios arriva en retard, ce qui ne s'était jamais produit. Jusqu'alors, il s'était assis parmi nous silencieusement, les yeux mi-clos, l'air renfrogné, comme s'il avait mal à la tête. Parfois, je me demandais comment j'en étais venu à lui obéir. Puis je voyais sa figure changer quand il répondait à une objection de Visser (c'était toujours lui qui faisait des objections), et je comprenais. Visser était un homme dur et habile. A côté de Dimitrios, pourtant, il était un enfant. Un jour, exaspéré par une raillerie, il sortit son pistolet, blanc de rage. A la place de Dimitrios, j'aurais prié. Lui, il sourit avec son insolence ordinaire, tourna le dos à Visser et se mit à me parler d'une question de travail. Il était toujours calme, même quand il était en colère.

» C'est pourquoi nous avons été tellement étonnés ce soir-là. Il arriva en retard et resta une bonne minute debout devant la porte à nous regarder. Il s'assit enfin. Visser reprit son rapport au point où il s'était interrompu. Il ne disait rien de remarquable. Le *patron* d'un café faisait des histoires et Visser conseillait à Galindo de le retirer du réseau de distribution.

» Soudain, Dimitrios se pencha à travers la table, cria : " Imbécile ! " et cracha à la figure de Visser.

» Celui-ci fut aussi surpris que nous tous. Il ouvrit la bouche mais Dimitrios ne lui laissa pas le temps de parler. Bafouillant comme un maniaque, il lui lança les accusations les plus fantastiques et lui cracha à nouveau au visage.

» Visser plongea la main dans la poche où était son pistolet. Lenôtre lui saisit le bras et lui parla à l'oreille. Visser lâcha son arme et examina Dimitrios avec curiosité. Lenôtre, ainsi que Werner et Galindo, savaient reconnaître les signes de l'intoxication. Ils avaient compris dès que Dimitrios était entré.

» Dimitrios devina que nous avions percé son secret. Il nous injuria violemment en français et en grec, nous traita d'imbéciles et de minables. Il savait bien que nous complotions derrière son dos, mais nous n'étions rien sans lui. Sans lui, nous crèverions de faim. Lui seul avait fait le succès de l'entreprise et il disposerait de nous comme il le voudrait. C'était assez exact, bien que nous n'aimions pas qu'il nous le rappelle. Il continua pendant une demi-heure, alternant les insultes et les vantardises. Personne ne dit mot. Aussi soudainement qu'il avait commencé, il s'arrêta, se leva et sortit.

» Nous aurions dû, après ça, nous attendre à sa trahison. C'est très fréquent chez les héroïnomanes. Pourtant, nous n'y avons pas cru. Malgré tout, nous respections l'intelligence de Dimitrios. Nous pensions, plus ou moins consciemment, qu'il gagnait trop d'argent pour mettre l'organisation en danger. Lenôtre et Galindo se mirent à rire. Ils demandèrent à Werner si le patron payait la marchandise qu'il consommait. Même Visser sourit.

» Il fut tout à fait normal lors de la réunion suivante et personne ne fit allusion à la scène. Dans les mois qui suivirent, il ne fit plus d'éclat. Il était seulement très nerveux. Il semblait malade. Il avait les joues creuses et le regard éteint. Il ne venait pas toujours aux réunions. Mais il dirigeait l'affaire avec efficacité ; et nous n'avons pas su comprendre le second avertissement.

» Au début de septembre, il ordonna de réduire les achats pendant les trois mois suivants et d'utiliser le stock. Nous n'étions pas d'accord, moi le premier. Nous avions eu trop de peine à le constituer pour le distribuer sans motif sérieux. Dimitrios dit qu'il y avait un motif. On l'avait informé que la police allait s'attaquer au commerce de drogue. Si elle découvrait notre réserve, ce serait une telle perte que notre organisation ne s'en relèverait pas. Il fallait être prudent, vendre et reformer notre capital pour reprendre les opérations à grande échelle, l'alerte passée.

» L'explication tenait. Nous n'avons pas eu le moindre soupçon que Dimitrios liquidait l'affaire. Lydia elle-même, qui avait une sorte de génie pour comprendre les gens, n'y vit que du feu.

Peters haussa les épaules :

— Vous connaissez la suite. Dimitrios envoya à la police un dossier sur nous. Je fus arrêté avec Lamare à Marseille. La police essaya de nous faire parler sur Dimitrios. Le commissaire qui m'interrogeait me montra le dossier pour me mettre en colère et me pousser à trahir celui qui nous avait donnés. C'est alors que je réalisai que je ne savais rien. Visser fit semblant de parler. Il dit que Dimitrios avait un appartement dans le XVIIe *arrondissement.* Je sus plus tard qu'il mentait délibérément pour obtenir la complaisance de la police, mais qu'il avait effectivement appris certaines choses sur Dimitrios.

M. Peters soupira et prit un petit cigare.

— Pauvre garçon ! Il est mort, aujourd'hui.

Latimer but une gorgée de café refroidi, attendant que son hôte continue. Le gros homme fumait en silence.

— Bon, dit-il avec une impatience provenant d'une sensation bizarre d'insatisfaction, alors ? Je ne sais toujours pas pourquoi je vais gagner un demi-million de francs.

M. Peters sourit d'un air condescendant :

— Ça, cher ami, c'est une autre histoire.

— Quelle histoire ?

— Ce qui est arrivé à Dimitrios après qu'il nous eut... quittés.

— Vous vous souvenez de mes conditions, monsieur Peters ? Toute l'explication ou je pars.

Peters ne répondit pas. Il saisit délicatement la photo qu'il avait montrée au début de la conversation et la tendit à Latimer.

— Merci, je l'ai vue. C'est Dimitrios, d'accord.

— Monsieur Latimer — il sourit avec une suavité séraphique — ceci est une photographie de Manus Visser.

— Quoi ?

— Visser, je vous l'ai dit, avait appris certaines choses. Il avait l'intention d'en tirer profit. Sur une table de la morgue, à Istanbul, vous avez vu le corps de Visser, après qu'il eut essayé de réaliser son projet.

— Mais c'était Dimitrios. J'ai vu que...

— Vous avez vu le cadavre de Visser, monsieur Latimer, tué par Dimitrios. Dimitrios, j'ai le plaisir de vous l'apprendre, est vivant et en excellente santé.

XII

# Monsieur C. K.

Bouche bée, Latimer sentait qu'il avait l'air ridicule et que rien ne pouvait l'empêcher. Dimitrios était vivant. Il ne lui venait pas à l'esprit d'en douter. Il savait comme par instinct que c'était vrai ; comme si un médecin lui faisait prendre conscience qu'il souffrait d'une maladie grave dont il aurait remarqué les symptômes sans avoir le courage d'en tirer la conclusion. Il était stupéfait, offensé, curieux, effrayé, tandis que sa raison essayait fiévreusement de s'adapter à la situation nouvelle et choquante. Il ferma la bouche et la rouvrit pour dire faiblement :

— Impossible.

M. Peters était visiblement enchanté de son effet :

— Je n'osais pas espérer que vous n'auriez pas au moins un soupçon de la vérité. Grodek, naturellement, a compris. Dès que vous lui avez dit que vous aviez vu le cadavre de Dimitrios, c'était évident pour lui. Pas pour vous, peut-être. Quand la police vous affirme qu'un cadavre est celui d'un nommé Dimitrios, on le croit, si l'on a la confiance en la police du... heu... bon citoyen. Moi, je savais que ce n'était pas Dimitrios. Mais je ne pouvais pas le prouver. Vous, par contre, vous le pouvez. Vous pouvez identifier Manus Visser. A propos, comment les Turcs ont-ils décidé qu'il s'agissait de Dimitrios ?

— Il y avait une *carte d'identité*, émise à Lyon, cousue dans la doublure du veston, dit Latimer machinalement.

Il pensait au toast porté par Grodek au roman policier anglais et au fou rire de l'espion. Seigneur ! Il avait passé pour le dernier des niais.

— Une *carte d'identité* française. Amusant. Très amusant.

— Les Français ont dit qu'elle était authentique.

— Regardez, monsieur Latimer.

Peters sortit de son portefeuille un *permis de séjour* vert, l'ouvrit, le tendit à l'écrivain, cachant les indications écrites mais découvrant la photographie.

— Est-ce que ce portrait me ressemble ?

Latimer secoua la tête.

— Pourtant, c'est une photographie authentique, prise il y a trois ans. Je ne me suis pas déguisé. Il se trouve que je ne suis pas *photogénique*. Peu d'hommes le sont. Un appareil photographique est le plus effronté des menteurs. Dimitrios peut avoir utilisé des douzaines d'hommes ayant à peu près les traits de Visser et avoir obtenu un document tout à fait officiel.

— Si Dimitrios est vivant, où est-il ?

— Ici, à Paris.

Peters se pencha, tapota affectueusement le genou de Latimer.

— Vous avez été très raisonnable, cher ami. Je vais tout vous raconter.

— C'est très aimable à vous.

— Non, non ! Vous avez le droit de savoir.

Il regarda l'écrivain avec une expression de grande dignité. Un juste sachant, grâce à la lumière d'une conscience infaillible, quel était son devoir :

— Vous pensez bien, reprit-il, que nous étions tous furieux contre Dimitrios. Certains parlaient de vengeance. Moi, je ne suis pas de ceux qui essayent de briser un mur à coups de tête. Je purgeai mon cœur de pensées haineuses et j'allai à l'étranger retrouver la paix de l'âme. Je devins un voyageur, monsieur Latimer. Une petite affaire çà et là, et la méditation, telle fut ma vie. Je pouvais à mon gré m'asseoir à la terrasse d'un café et contempler mes frères humains. Souvent, je me demandai si l'existence n'est pas un rêve. Si nous ne sommes pas comme des enfants bercés par le grand Un. J'attends le moment du réveil sans crainte. Oui, j'ai fait des choses dont j'ai honte. Mais le grand Un comprendra. Je ne le conçois pas comme un juge, monsieur Latimer, dit-il d'un ton légèrement agressif, je le conçois comme un ami.

» En un sens, je suis un mystique. Je ne crois pas aux coïncidences. Si l'Etre suprême veut que nous rencontrions telle personne, nous la rencontrons. C'est pourquoi je ne fus pas étonné de rencontrer Visser. C'était il y a environ deux ans, à Rome.

» Je ne l'avais pas vu depuis cinq ans. Pauvre garçon ! Son destin n'avait pas été clément. Peu après sa sortie de prison, il avait été à court d'argent et avait émis un faux chèque. Les Français l'avaient condamné à trois ans de prison et expulsé à la fin de sa peine. Il était presque sans le sou et il ne pouvait plus travailler dans le seul pays où il avait des relations.

» Il me demanda de lui prêter de l'argent. Il voulait aller à Zürich pour acheter un nouveau passeport. Je ne l'avais jamais trouvé sympathique, mais il me faisait pitié. A mon hésitation, il devina que j'avais les moyens de l'aider. C'était une erreur de ma part. J'aurais dû lui dire tout de suite que je ne pouvais pas. Plus tard, seulement, j'ai compris que ma générosité allait avoir sa récompense.

» Il devint pressant et me jura de me rembourser. La vie est difficile, n'est-ce pas ? Sur le moment, une personne est sincère. Vous savez pourtant que, demain, elle se dira avec une sincérité égale que vous n'avez pas besoin de cet argent et que la magnanimité se paie. Vous perdez à la fois votre argent et un ami. Je décidai de refuser.

» Il m'accusa alors de ne pas avoir confiance en son honneur, ce qui est une façon de parler grotesque. Enfin, il entreprit de me prouver qu'il était sur une affaire sérieuse.

» En effet, il savait quelque chose sur Dimitrios. Il avait commencé une enquête en règle, le soir où il avait menacé Dimitrios et où celui-ci lui avait tourné le dos. A mon avis, il était curieux de mieux connaître le premier homme qui l'avait humilié. Il affirmait, quant à lui, qu'il avait flairé la future trahison, ce que je ne crois pas. Quoi qu'il en soit, il se mit à suivre Dimitrios à l'issue de la réunion.

» D'abord, il n'alla pas loin. Une voiture attendait dans une rue proche de l'impasse des Huit-Anges. Dimitrios était hors de vue avant que Visser ait trouvé un taxi.

» Il n'assista pas à la réunion et attendit avec une voiture le départ de Dimitrios. Il trouva ainsi l'adresse d'un grand immeuble de l'avenue de Wagram. Une semaine plus tard, tandis que Dimitrios était ici avec nous, Visser se renseigna auprès de la concierge. Elle ne connaissait pas de M. Makropoulos. Visser lui graissa la patte et décrivit Dimitrios. Il apprit que celui-ci avait loué un appartement au nom de Rougemont.

» Au terme d'une filature prudente, il découvrit que l'immeuble avait deux entrées et que Dimitrios vivait dans un hôtel particulier avenue Hoche, loué par une femme du monde que nous appellerons la comtesse. Il le vit partir avec elle pour l'Opéra, *en grande tenue,* dans une magnifique Hispano.

» A ce point de son enquête, Visser ne continua pas. Peut-être était-il fatigué de stationner dans les rues. Peut-être était-il déçu par la banalité de la vie secrète de Dimitrios. Le patron menait l'existence de n'importe quel homme riche.

» Quand il fut arrêté, Visser ne donna pas à la police l'adresse de la comtesse. Je suppose qu'il ne s'estimait pas assez vengé en faisant arrêter Dimitrios. Violent comme il était, il voulait certainement le tuer. Mais, en se retrouvant sur le pavé, il songea sans doute à l'Hispano et à l'hôtel particulier. Il pouvait faire chanter Dimitrios, en le menaçant de révéler à la comtesse d'où il tirait ses revenus. Il alla avenue Hoche et trouva l'hôtel fermé. Le gardien lui dit que M^me^ la comtesse était à Biarritz. Il s'y rendit, pour constater que la femme du monde séjournait avec des amis du meilleur monde et que Dimitrios n'était nulle part dans la ville.

» Il revint à Paris. Un peu trop tard, il eut une brillante idée. Dimitrios était peut-être en cure de désintoxication, comme la plupart des drogués riches à ce stade avancé de l'héroïnomanie. Il y a cinq cliniques spécialisées aux environs de la capitale. Sous prétexte d'arranger une cure pour un frère, il les visita l'une après l'autre en se recommandant de M. Rougemont. A la quatrième, il eut le plaisir d'entendre le directeur de la clinique lui demander des nouvelles de M. Rougemont.

» J'imagine que Visser tira une satisfaction vulgaire de savoir que Dimitrios avait suivi une cure. C'est terrible, vous savez. Les médecins remontent le cours de l'intoxication, pour ainsi dire, en réduisant la dose de drogue. Le patient tremble et transpire, dans l'état de *manque*. Il ne peut ni manger ni dormir. Il souhaite mourir, mais il n'a pas l'énergie de se suicider. Il crie et il pleure jour et nuit. Il... Je ne vais pas vous ennuyer avec ces horreurs. Bref, en trois mois et au prix de cinq mille francs par semaine, le drogué est guéri. Il peut oublier les tortures et recommencer. Ou il peut avoir tiré profit de la leçon et oublier le paradis. Dimitrios, semble-t-il, a eu cette sagesse.

» Il avait quitté la clinique quatre mois avant la visite de Visser. Celui-ci dut donc avoir une autre bonne idée. Il l'eut, mais il fallait de l'argent pour la réaliser. Il fabriqua le faux chèque et repartit pour Biarritz. L'idée était que la comtesse devait savoir où vivait Dimitrios. Seulement, il ne pouvait pas le lui demander, pour la simple raison qu'il ignorait le nom sous lequel elle le connaissait. Il entra par effraction chez elle, fouilla les bagages et chercha des lettres.

» Dimitrios ne correspondait jamais avec nous et détestait écrire. A une occasion, cependant, il avait donné à Werner une adresse manuscrite. Visser, comme moi-même d'ailleurs, avait entrevu une écriture très particulière : maladroite, anguleuse et contournée. Il trouva neuf lettres bien reconnaissables, sur le papier d'un hôtel coûteux de Rome. Pardon, monsieur Latimer, vous dites ?

— Je peux vous apprendre ce que Dimitrios faisait à

Rome. Il organisait un attentat contre un politicien yougoslave.

— Il ne perdait certainement pas son temps, dit M. Peters distraitement, voyez où il est arrivé. Les lettres, disais-je, étaient signées d'initiales. Mettons : C. K. Elles étaient brèves et très réservées. C. K. était en bonne santé, les affaires marchaient bien, il espérait revoir bientôt sa chère amie. Pas de *à tu et à toi,* vous voyez. L'une, cependant, rapportait qu'il avait été présenté à un parent du roi et une autre, qu'il fréquentait un diplomate romain titré. Dimitrios se montrait *snob* et préoccupé de son ascension sociale. Excellente perspective pour un chantage. Visser partit aussitôt pour Rome. Malheureusement, il n'était pas un faussaire habile. La police l'arrêta à la frontière.

» Imaginez les sentiments de ce pauvre garçon, enfermé pendant trois interminables années. Sa haine de Dimitrios avait tourné à l'obsession maniaque. Il le tenait pour responsable de tous ses ennuis. Aussitôt libre, il se procura une petite somme en Hollande et alla à Rome. Se faisant passer pour un détective privé néerlandais, il se présenta à l'hôtel. Les *fiches* vieilles de trois ans étaient bien sûr détruites, mais les notes étaient conservées à la comptabilité. Il obtint le nom correspondant aux initiales C. K. L'adresse à Paris était celle de l'avenue de Wagram, qui ne menait à rien. Pourtant, avec le nom, Visser aurait pu renouer la piste, s'il avait pu se rendre en France. Là était le problème. Il lui fallait un nouveau passeport, faute de quoi il serait refoulé à la frontière.

» Je lui prêtai trois mille francs, en me sentant stupide, je le confesse, monsieur Latimer. Je ne pouvais pas m'empêcher d'avoir pitié de lui. La prison avait brisé le Visser que j'avais connu. Autrefois, il portait ses passions dans le regard ; maintenant, elles étaient dans la contraction de la bouche. Il n'avait plus son ancienne confiance en ses moyens ; il continuait à agir par entêtement, par désespoir, par conscience qu'il n'avait pas d'autre chance d'oublier la pauvreté et la vieillesse menaçante. Je lui donnai de l'argent pour me débarrasser de lui, sans croire que j'aurais jamais de ses nouvelles. Je fus positivement stupéfait quand, il y a un an, je reçus une lettre contenant un *mandat* de trois mille francs.

» La lettre était aussi courte que parlante : " J'ai trouvé qui vous savez, comme je te l'avais annoncé. Voici, avec tous mes remerciements, ce que je te dois. Ça vaut bien trois mille francs de t'étonner. " Pas de signature, pas d'adresse. Le *mandat* avait été établi à Nice.

» Cela m'a fait beaucoup penser, monsieur Latimer. Visser avait regagné sa vanité. Il pouvait la satisfaire à coups de gestes coûteux. Les gens vaniteux rêvent fréquemment de tels gestes ; mais ils les mettent très rarement à exécution. Cela signifiait que Visser avait de l'argent ; donc, que Dimitrios avait des raisons impérieuses de payer.

» A ce moment, je n'avais rien de précis à faire. En fait, je m'ennuyais. Il y avait certes les livres, la méditation. Ça ne suffit pas toujours. L'idée me vint de retrouver moi-même Dimitrios et de partager le filon de Visser. Je n'étais pas poussé par l'avidité, monsieur Latimer. J'étais intéressé d'une façon artistique, exactement comme vous. De plus j'estimais que Dimitrios me devait quelque compensation pour les inconvénients et les humiliations qu'il m'avait causés. J'hésitai pendant deux jours. Le troisième, je partis pour Rome.

» Le problème à résoudre était ardu et stimulant. Je possédais comme seuls indices les initiales que Visser m'avait révélées dans ses efforts pour me convaincre, et le fait que l'hôtel en question était cher. Hélas ! il y a beaucoup d'hôtels chers à Rome. Je me mis à les visiter l'un après l'autre. Au cinquième, la direction refusa sèchement de me laisser consulter les comptes de 1932. Je renonçai. Et j'allai voir un ami qui, après des démarches et des dépenses dont je vous épargne le détail, me permit d'examiner les archives du ministère de l'Intérieur. Je trouvai le nom utilisé par Dimitrios et un élément que Visser ignorait. Dimitrios comme moi, en la même année 1932, avait acquis une certaine nationalité sud-américaine, d'un pays très compréhensif lorsque l'on a un portefeuille bien garni. Nous étions, lui et moi, compatriotes.

» J'arrivai à Paris plein d'espoir. Je fus cruellement déçu. Notre consul ne manifesta pas la moindre sympathie. Il prétendit n'avoir pas entendu parler d'un Señor C. K. et ajouta que, le Señor serait-il mon plus cher ami, il refuserait de me dire où celui-ci se trouvait. D'autres que moi se seraient découragés ou fâchés. Je gardai toute ma sérénité et je vis que le consul mentait. Il connaissait Dimitrios, ce qui renforça ma curiosité.

» Nouvelle déception, la comtesse avait vendu son hôtel particulier. Où la trouver ? Vous pensez, monsieur Latimer, qu'une femme du monde ne disparaît pas comme n'importe qui. Oui, mais il n'est pas commode de se renseigner sur elle quand on n'appartient pas à son monde. Ses moyens lui permettent d'aller partout. Elle est protégée par la police, par les domestiques, par les barrières sociales. Je dus me rabattre sur une méthode de dernier recours. Je commandai à Hachette tous les magazines, hebdomadaires et autres journaux mondains paraissant en France, Suisse, Italie, Allemagne. Je pariai, avec moins de chances qu'au pire jeu de hasard, sur la probabilité qu'une femme *chic* passait l'hiver dans une station cotée.

» Ce fut une besogne démoralisante, monsieur Latimer. Je ne sais pas si vous avez idée de ce que peut être le snobisme à dose massive. J'étais prêt à devenir social-démocrate lorsque je trouvai ce que je cherchais. Une revue allemande publiait une photographie de la comtesse, skiant à Saint-Anton. J'y allai et j'appris facilement que M. C. K. avait séjourné en même temps que la charmante dame. Il était reparti pour Cannes.

» A Cannes, je sus que C. K. possédait une villa sur l'Estoril et qu'il était en voyage pour affaires. Dès ce moment, j'avais réussi. Dimitrios reviendrait un jour ou l'autre. Je savais où le situer. Restait à m'assurer une position de force, pour le petit projet que j'avais en tête.

» Mon principe, monsieur Latimer, est que la clé du succès réside dans la sympathie des gens. Je n'ai rien épargné pour l'acquérir. Supposons, par exemple, qu'une manufacture d'armes anglaise cherche les bonnes grâces d'un haut fonctionnaire grec. L'une et l'autre parties peuvent souhaiter que s'établisse une entente profitable. Mais elles craignent également de faire un faux pas. J'interviens alors, d'une façon tout à fait amicale et désintéressée, à la satisfaction mutuelle. Je pourrais gagner une commission sur l'affaire. Je m'en garde bien. Je ne suis pas de ceux qui poursuivent un gain immédiat. Je pense à l'avenir, à ce capital d'amitié que l'argent ne remplace pas.

» Aussi, je n'eus aucun mal à me documenter sur M. C. K. Il était devenu important, dans les milieux qui comptent. Je ne m'étonnais plus que Visser puisse s'offrir de petites revanches à trois mille francs pièce. Pourtant, que savait-il ? Que notre ancien patron avait dirigé un réseau de contrebande de stupéfiants. Rien de plus. Il ne savait rien de la traite des femmes. Et, me dis-je, ce n'était sûrement pas les seuls délits qu'avait commis Dimitrios. Si je parvenais à connaître son passé, j'aurais des arguments tout à fait solides.

» J'eus en conséquence recours à mes nombreux amis. Grodek fut l'un d'eux. Un autre, de nationalité roumaine, me communiqua des éléments intéressants sur des rapports de Dimitrios avec Codreanu, le chef regretté de la Garde de Fer. J'appris également qu'il était connu, sinon recherché, par la police secrète bulgare.

» Tout cela avait un certain intérêt psychologique, mais peu de poids financièrement parlant. Par exemple, je quittai Grodek presque découragé. Le Gouvernement yougoslave ne demanderait pas l'extradition de Dimitrios et la France aurait peut-être assez de reconnaissance pour pardonner à un ancien agent des libertés avec les lois de police courante. En désespoir de cause, j'allai à Athènes, pour voir si je ne trouverais pas au début de la carrière de Dimitrios des actes franchement criminels, comme il est logique d'en attendre de la part d'un jeune homme inexpérimenté. Mes efforts étaient infructueux, lorsque je tombai sur un article annonçant la découverte du cadavre d'un Grec natif de Smyrne, nommé Dimitrios Makropoulos.

M. Peters arqua les sourcils :

— Vous voyez maintenant pourquoi votre enquête personnelle m'a paru difficile à expliquer, monsieur Latimer ?

L'écrivain fit oui de la tête.

— Nos chemins se sont croisés dans le bureau des Archives municipales. J'avais l'intention de me rendre ensuite à Smyrne. J'ai jugé plus payant de vous suivre à Sofia. Seriez-vous assez aimable pour me dire ce que vous avez trouvé ?

— Dimitrios a été accusé du meurtre d'un usurier nommé Sholem, à Smyrne, en 1922. Deux ans plus tard, il a été impliqué dans un complot contre Kemal Ataturk. Il n'a pas été pris, mais les Turcs ont pris prétexte de ce meurtre pour lancer un mandat d'arrêt.

— Un meurtre à Smyrne ! Quel homme étonnant ! Quel sens de l'économie !

— Que voulez-vous dire ?

— Vous allez voir. Dès que j'ai lu la nouvelle, j'ai télégraphié à un ami de Paris, lui demandant où se trouvait M. C. K. Il m'a répondu que celui-ci venait de rentrer à Cannes, après une croisière dans la mer Egée avec une troupe d'amis, à bord d'un yacht grec loué à Athènes deux mois plus tôt.

» Comprenez-vous maintenant, monsieur Latimer ? Vous m'avez appris que la *carte d'identité* datait d'un an, soit quelques semaines avant que Visser me rende les trois mille francs. Cela signifie que son sort était scellé dès l'instant où il a rencontré Dimitrios. Dimitrios a payé et a immédiatement préparé le meurtre. C'était inévitable. Visser était trop vaniteux. Un jour ou l'autre, il se serait vanté. Il devait mourir.

» Dimitrios aurait pu le liquider sur-le-champ. Mais son sens de l'économie lui a suggéré un meilleur plan. Pourquoi ne pas employer le cadavre de Visser pour effacer les traces de son péché de jeunesse à Smyrne ? Le corps de Dimitrios Makropoulos serait livré à la police turque qui fermerait le dossier, tandis que l'honorable C. K. cultiverait son jardin en toute quiétude. Cela demanderait une certaine coopération de la part de Visser. Donc, Dimitrios a payé en souriant, cependant qu'il faisait établir une *carte d'identité* à joindre au cadavre. Neuf mois plus tard, en juin, il a invité son bon ami Visser à une croisière en mer Egée.

— Ce ne devait pas être facile de tuer son hôte pendant cette partie de plaisir. Et les autres invités ? Et l'équipage ?

— Monsieur Latimer, voilà ce que j'aurais fait, à la place de Dimitrios. J'aurais loué un yacht grec. Détail important, vous allez voir. J'aurais prié mes amis, dont Visser, de me rejoindre à Naples. Un mois de promenade et retour à Naples. Là, j'aurais demandé à Visser de ne pas débarquer en même temps que les autres passagers, car j'avais une affaire importante et secrète à régler en Turquie. Il y aurait beaucoup d'argent à gagner, etc.

» Au capitaine, j'aurais dit que je quitterais le yacht à Istanbul et que je retournerais à Paris par le train. A Istanbul, je serais descendu en compagnie de Visser. Dans une certaine *boîte de nuit,* j'aurais eu une conversation avec le barman ; au matin, je me serais retrouvé plus pauvre de dix mille francs français ; et Visser, un couteau dans le ventre, flotterait vers la côte du Sérail où le courant pousse les cadavres judicieusement placés au fil du Bosphore. Ensuite, j'aurais pris une chambre à l'hôtel sous le nom de Visser. J'aurais envoyé un portier chercher mes bagages et ceux de Visser sur le yacht. Je serais parti d'Istanbul par le train. Au cas improbable d'une enquête, Visser aurait quitté la Turquie sur ses deux jambes. Qu'il disparaisse ultérieurement, quoi d'étonnant pour un repris de justice notoire ? Mes amis seraient persuadés que j'étais descendu du bateau à Naples. Le capitaine et l'équipage ne seraient pas intéressés. Terminé.

» Dimitrios a peut-être agi un peu différemment, mais je suis sûr que l'idée générale est la même. Comme il aime ne rien laisser au hasard, il a eu soin d'étudier les minutes du procès de Smyrne, pour vérifier que son signalement n'était pas précis au point d'empêcher la police turque de conclure que le cadavre de Visser était celui de Dimitrios.

— On m'a dit que l'homme qui avait examiné les archives ressemblait à un Français.

— Dimitrios ressemble maintenant à un Français. Il est habillé par un bon tailleur de Paris.

— Vous l'avez vu récemment ?

— Hier. Lui ne m'a pas vu.

— Vous savez où il habite ?

— Naturellement.

— Bon, que faisons-nous ?

M. Peters regarda fixement l'écrivain :

— Allons, monsieur Latimer, ne jouez pas l'enfant de chœur. Vous savez et vous pouvez prouver que l'homme enterré à Istanbul n'est pas Dimitrios. Moi, je sais où le trouver. Notre silence vaut de l'or. En pensant au sort du pauvre Visser, nous savons aussi comment agir. Nous exigerons un million de francs pour nous taire. Dimitrios paiera, en attendant l'occasion de nous supprimer. Mais nous ne serons pas assez bêtes pour revenir nous mettre entre ses griffes. Nous nous contenterons d'un demi-million chacun, environ trois mille livres, monsieur Latimer, et nous disparaîtrons.

— Je vois. Le chantage au comptant. Pas de crédit. Pourquoi me mettre dans le coup ? Je ne comprends pas votre générosité, monsieur Peters. La police turque peut identifier Visser sans mon aide.

— Comment ? Croyez-vous que la police turque se souvienne du visage de Visser ? Croyez-vous qu'elle entreprendrait une procédure d'extradition contre un riche étranger sur de simples accusations dénuées de preuves et de vraisemblance ? Voyons, mon cher Latimer ! Dimitrios me rirait au nez. Mais un témoin change tout. Vous avez vu le corps de Visser. Vous avez lu les minutes du procès de Smyrne. Dimitrios ne vous connaît pas. Il ne peut pas évaluer le danger que vous représentez. Il paiera, par prudence élémentaire.

» Bon, écoutez-moi attentivement. Il ne faut surtout pas qu'il découvre nos identités. Il sait qui je suis, bien sûr. Mais il ignore mon nom actuel. Quant à vous, vous serez M. Smith, un Anglais anonyme. Nous ne rencontrerons Dimitrios qu'une fois, pour lui prouver que nous sommes sérieux et dangereux. Nous récolterons l'argent et nous nous évanouirons dans la nature.

Latimer rit avec effort :

— Vous croyez que je suis d'accord pour exécuter votre plan ?

— Si votre intelligence distinguée a conçu un plan plus ingénieux, monsieur Latimer, je suis prêt à l'adopter.

— Mon intelligence distinguée, monsieur Peters, se propose d'informer la police.

— La police ? Et de quoi l'informerez-vous, s'il vous plaît ? demanda le gros homme avec douceur.

— Eh bien... commença Latimer.

Pour la seconde fois de la soirée, il resta la bouche ouverte.

— N'est-ce pas ?

M. Peters baissa les yeux, n'abusant pas de la situation.

— Je ne vous ai pas dit le nouveau nom de Dimitrios. Les initiales mêmes sont conventionnelles. Ni le nom de l'hôtel de Rome. La police turque ne sera guère avancée si vous lui apprenez que Dimitrios est toujours vivant, sans autre détail. Quant à la police française, serait-elle très émue qu'un Grec coupable d'assassinat en 1922 réside sur son territoire avec une fausse identité ? Non, monsieur Latimer, vous ne pouvez rien faire indépendamment de moi. Et puis, pourquoi renoncer à ces trois mille livres ? C'est cher, pour un scrupule.

Latimer considéra Peters un long moment :

— Je crains que votre façon de vivre, dit-il, ne vous empêche de comprendre que je ne veux pas de cet argent.

— La rectitude morale... commença M. Peters.

Il s'interrompit, s'éclaircit la gorge et reprit, avec la *bonhomie* de qui raisonne un ami ivre.

— Si vous insistez, nous pouvons livrer Dimitrios à la

police *après* avoir touché le million de francs. En fait, ce serait une sage précaution et un acte de justice.

Il sourit rêveusement, puis son visage s'assombrit. Il secoua la tête :

— Hélas ! C'est impossible. L'enquête de la justice française remonterait fatalement à la police turque, laquelle vous mettrait en cause. Non, mon cher ami. Il faut renoncer à notre désir de légitime punition du crime.

Latimer ne répondit pas. Il alluma une cigarette pour se donner le temps de résumer la situation. Inutilement, il le savait. Peters avait raison. Le seul choix qui lui restait était soit de quitter Paris en laissant l'affaire en suspens, soit d'aller jusqu'au bout.

Il n'avait même pas le choix, en étant honnête. Abandonner son expérience maintenant était impensable.

— Bien, dit-il. Je ferai ce que vous voudrez. Mais je pose des conditions.

Le sourire de M. Peters s'effaça :

— Des conditions ! Il me semble que cinquante pour cent est généreux, monsieur Latimer. Rien que mes frais...

— Monsieur Peters, je vous en prie. La première condition vous sera très agréable. J'exige que vous gardiez tout l'argent que vous extorquerez à Dimitrios.

Il se tut et eut la satisfaction de voir le gros homme déconcerté. Cela ne dura pas. Les yeux humides se fermèrent à demi :

— Je ne comprends pas, monsieur Latimer. Si vous essayez une sotte manœuvre afin...

— Non, coupa l'écrivain. Il n'y a aucune manœuvre, sotte ou non. Vous parliez de rectitude morale, n'est-ce pas ? C'est le mot qui convient. Je veux bien participer à un chantage, si la victime en est une crapule. Mais je ne veux pas en profiter.

M. Peters hocha la tête pensivement :

— Je crois que je vous comprends. Très bien. Tant mieux pour moi. Quelle est votre seconde condition ?

— Elle est également inoffensive. Vous avez dit, avec

beaucoup de mystère, que Dimitrios était devenu un homme important. Qu'est-il devenu au juste ?

Peters réfléchit, puis haussa les épaules :

— Je ne vois pas d'inconvénient à vous répondre. L'information ne peut pas vous fournir l'identité de Dimitrios. Le Crédit Eurasien est une société monégasque et son conseil d'administration reste secret. Dimitrios est un des administrateurs.

XIII

# Rendez-vous

Il était deux heures du matin lorsque Latimer sortit de l'impasse des Huit-Anges. Il avait les yeux irrités, la gorge sèche, les membres lourds. Mais son cerveau surexcité par le café fort et l'extravagante conversation travaillait avec cette sorte de lucidité qui donne un sens à l'absurde. Il savait qu'il ne pourrait pas dormir.

Au coin du boulevard Saint-Germain, un café était encore ouvert. Il se força à avaler un sandwich et une bière. Il fumait une cigarette, songeant que le jour ne se lèverait pas avant quatre ou cinq heures, quand il vit approcher un taxi en maraude. Il jeta quelques pièces sur le comptoir et héla la voiture.

Il paya le chauffeur à la Trinité, remonta à pied la rue Blanche. *La Kasbah* était toujours là, à mi-pente. Elle n'avait guère changé depuis le temps de M. Peters. Le *chasseur* nègre portait la djellaba rayée et le tarbouch. Une Ouled-Naïl grandeur nature était peinte sur la porte que poussa Latimer. La décoration intérieure, en revanche, avait suivi la mode. Les divans et les lumières ambrées de M. Peters étaient remplacés par des chaises de métal et un éclairage indirect. L'orchestre sud-américain avait cédé la place à un électrophone. Une vingtaine de personnes attendaient on ne savait quoi. La *consommation* la moins chère valait trente francs. Latimer commanda une bière et demanda au garçon italien si le *patron* était visible. En attendant, il essaya d'imaginer ce qu'était l'établissement dix ans plus tôt, alors que les femmes *chics* dansaient le tango, en robe chemise et en *chapeau cloche.* Peters devait se tenir ici, à côté du *vestiaire*, surveillant la clientèle américaine et anglaise, commandant du champagne de Meknès et vérifiant les comptes de son associé. Un soir, Dimitrios était entré...

Le *patron* s'approcha. Il était grand, massif, chauve. Il portait comme un masque l'expression d'un homme que l'on déteste, qui le sait et s'en fiche :

— Monsieur ?

— Je voudrais savoir si vous connaissez M. Giraud. L'ancien *patron.*

— Non. Pourquoi ?

— J'aurais voulu le voir. Sans raison spéciale.

— Je ne le connais pas, répéta l'homme, fixant le verre de Latimer. Si vous voulez une jolie femme, je peux arranger ça.

— Non, je vous remercie.

Le *patron* haussa les épaules et s'en alla. Latimer but une gorgée de bière, en souhaitant n'être pas venu. Cette visite était un essai pitoyable de revenir à la réalité, de détruire l'impression de rêver éveillé que le récit de Peters avait produite. L'échec était complet. *La Kasbah* accentuait un sentiment d'irréalité et d'absurde qui s'étendait presque au fait même de vivre. Il fit signe au garçon, paya, sortit et se fit conduire à son hôtel par le premier taxi.

Il était mort de fatigue, mais d'une fatigue opposée au sommeil, comme celle d'un étudiant qui aurait vingt-quatre heures pour lire les six volumes de la *Philosophie positive* de Comte, avant un examen. Une confusion d'idées étranges, trop de questions à poser, trop de questions auxquelles répondre. Et, projetant son ombre sinistre, la silhouette de Dimitrios, le meurtrier, le trafiquant, le maquereau, le voleur, l'espion, le marchand de femmes et de drogue, le financier, dont la seule humanité avait été de mourir, mais qui était vivant et prospère.

Assis près de la fenêtre, Latimer contemplait la Seine et les arêtes géométriques du Louvre découpées sur le ciel pourpre ; il était hanté par la confession de Dhris, le récit d'Irana Preveza, la tragédie de Boulitch, les trois êtres assassinés, la foule des intoxiqués qui avaient souffert le martyre, les femmes vendues et qui encore? quels inconnus sacrifiés pour que Dimitrios soit riche ? Si le Mal existait, alors Dimitrios...

Mais c'était inutile de chercher une explication en termes de Bien et de Mal. Ces abstractions appartenaient à un autre âge. Les Bonnes Affaires et les Mauvaises Affaires étaient les dieux de la nouvelle théologie. Dimitrios n'était pas malfaisant. Il était logique, rationnel, aussi logique et rationnel que la préparation de la prochaine guerre, que la politique de force, que les bombardiers et les *Panzerdivisionen.* La logique de Michel-Ange, de Beethoven, d'Einstein, ne faisait pas le poids en face de l'autre logique, celle du *Stock Exchange Year Book* et de *Mein Kampf.*

Mais pourtant, mais pourtant, Dimitrios était vulnérable ! Les grands responsables, les criminels illimités qui préparaient les misères de l'Europe étaient pour la plupart inaccessibles, protégés par la naissance, la fortune, une conception perverse de la respectabilité. Dimitrios avait, lui, violé les lois de droit commun, les règles édictées par les seigneurs pour jouir en paix de leurs exactions. Il avait tué. Lui, au moins, pouvait être condamné aussi sûrement que s'il avait volé un morceau de pain.

Il ne fallait pas se laisser intimider par la démonstration intéressée de Peters. Directement ou grâce à Peters lui-même, malgré toutes ses précautions, il savait pas mal de choses sur Dimitrios. Si les registres du Crédit Eurasien n'étaient pas publics, ils n'en étaient pas pour autant hors de l'atteinte de la police. L'immeuble de l'avenue de Wagram, Rougemont, la comtesse, l'Hispano, Biarritz, Saint-Anton, le yacht grec, c'étaient des faits, des faits vérifiables.

Oui, mais était-ce suffisant pour mettre en marche la machine policière ? A supposer qu'il puisse convaincre le colonel Haki, serait-ce assez pour persuader les Français d'extrader l'administrateur d'une puissante banque internationale ? Il avait fallu douze ans pour acquitter Dreyfus. Ce pouvait être aussi long d'obtenir la condamnation de Dimitrios.

Il se déshabilla pesamment et se mit au lit. Etendu, les yeux clos, il pensait avec lassitude qu'il n'échapperait pas au plan de Peters. Dans quelques jours il serait, techniquement parlant, complice d'un des crimes les plus sordides : le chantage. Cherchant à préciser la sensation d'étrangeté que lui donnait cette idée, il découvrit une autre cause de son malaise. Simplement, il avait peur. Dimitrios était un homme dangereux ; plus dangereux qu'il ne l'avait été à Smyrne, à Athènes ou à Sofia, parce qu'il avait davantage à perdre. Visser l'avait fait chanter et il était mort. Maintenant lui, Latimer, allait le faire chanter. Dimitrios n'avait pas hésité à tuer l'homme qui menaçait de révéler son passé de trafiquant. Hésiterait-il à éliminer deux hommes qui menaçaient de raconter qu'il était un assassin ?

Le seul petit élément de plaisir, dans cette abominable situation, était une satisfaction d'écrivain. Avant de quitter M. Peters, celui-ci lui avait montré la lettre qu'il posterait à l'adresse de Dimitrios. Elle était agréablement analogue à une lettre qu'il avait imaginée dans un de ses romans. Avec une sinistre cordialité, elle commençait par souhaiter que le cher destinataire n'ait pas oublié son ami après tant d'années. L'ami désirait vivement le revoir et serait à tel hôtel, le mardi de cette semaine, à neuf heures du soir. La lettre s'achevait sur l'assurance de la *plus sincère amitié*. Un post-scriptum ajoutait qu'un grand ami de Visser serait au rendez-vous et que ce serait réellement dommage qu'une bonne conversation n'ait pas lieu ce soir-là, car l'occasion ne se représenterait pas.

Latimer avait demandé quelles précautions Peters comptait prendre. Peters avait dit en souriant qu'il avait pensé à tout. Par exemple, il exigerait que le million en billets de banque soit remis par une femme. Même dans l'obscurité, Dimitrios ou un éventuel tueur ne pourrait pas se faire passer pour une femme. Cela leur éviterait d'être retrouvés, au matin de ce second rendez-vous, gisant truffés de balles sur les quais de la Seine.

D'un point de vue pratique, se dit Latimer, on pouvait faire confiance à Peters pour que l'opération soit sans danger. L'homme, malgré son écœurante philosophie, avait une intelligence incontestable. Et ce serait tout de même curieux de voir les yeux qui avaient fait une impression inoubliable sur des gens aussi difficiles à émouvoir que Grodek et la Preveza.

L'idée eut un effet apaisant. Latimer se sentit soudain mieux et put s'endormir.

Il fut réveillé à onze heures par un appel de Peters, l'invitant à dîner le soir « pour discuter de notre petite entreprise ». Latimer passa la journée à tuer le temps et une motivation complexe le fit terminer l'après-midi au zoo de Vincennes : la compagnie, le spectacle des animaux, menant leur vie sans problèmes, étaient réconfortants. Il put affronter la conversation de Peters avec sérénité. Peters ne parla pas de leur « entreprise ». Latimer soupçonna que le dîner avait pour objet de rassurer Peters sur sa coopération maintenant qu'il n'avait plus d'intérêt financier. Le gros homme se déclara enchanté de ce que Latimer eût visité le zoo. Les bêtes savaient tellement mieux que les hommes suivre la voie tracée par l'Etre suprême ! Si seulement nous avions leur innocence, leur confiance en l'instinct !

Sous prétexte d'un mal de tête, Latimer s'échappa à dix heures et eut la chance de dormir comme un bûcheron. Il s'éveilla avec un vrai mal de tête. Il conclut d'abord que le bourgogne en carafe chaleureusement recommandé par Peters était encore plus mauvais qu'il ne l'avait jugé en le buvant. Puis l'inconfort qu'il ressentait trouva son véritable sens : Dimitrios avait reçu ce matin la lettre de chantage. Les dés étaient jetés.

La journée fut interminable. Latimer usa la matinée à marcher sans but au bois de Boulogne. Il mangea trop, pour tenter de chasser l'impression d'un vide dans la région de l'estomac. En sortant, vers six heures, d'un cinéma, il avait le plexus solaire dur et douloureux, comme s'il avait reçu un coup de poing. Il se dit que le bourgogne corrosif de Peters menait une action d'arrière-garde et il entra dans un café des Champs-Elysées pour boire une *infusion*. Mais, tandis qu'il regardait distraitement ses voisins, deux hommes et deux femmes riant et bavardant avec insouciance, la pleine conscience de son état s'imposa finalement à lui. Il ne voulait plus revoir M. Peters. Il ne voulait pas participer à l'expédition. Il ne voulait pas rencontrer un homme dans le but de le tuer aussi rapidement et aussi discrètement que possible.

Certes, il n'était pas agréable d'admettre qu'il avait peur. Dimitrios était intelligent et dangereux ; il n'était pourtant pas surhumain. Peters, qui avait l'expérience de ces choses, tenait la situation bien en main. Ah, là était le fond du problème ! Peters était habitué à la vie criminelle. Lui, Latimer, ne l'était pas. Il n'avait aucune raison de s'y habituer. Il aurait dû comprendre plus tôt que l'affaire avait complètement changé de caractère. Elle n'était plus au niveau d'un criminologiste amateur. Que penserait, par exemple, un juge anglais de son association avec Peters ? Il pouvait presque entendre les mots :
« Quant aux actions de Latimer, pouvons-nous croire un instant l'explication qu'il nous demande de recevoir ? Il est un homme éduqué, qui a rempli des fonctions universitaires et publié des ouvrages d'érudition. Il est par ailleurs l'auteur d'ouvrages populaires qui, bien qu'appartenant à un genre étranger à la littérature proprement dite, ont du moins le mérite d'accepter la proposition que le devoir de tout citoyen responsable est d'aider la police à empêcher le crime et à capturer les criminels. Or, il reconnaît devant nous qu'il a délibérément conspiré avec Peters dans l'accomplissement d'un projet criminel pour assouvir, prétend-il, sa curiosité. Vous déciderez, messieurs les jurés, si cette explication offre quelque vraisemblance, ou si, comme le soutient l'accusation, elle n'est qu'une tentative désespérée de Latimer pour minimiser son rôle dans cette affaire crapuleuse. »

Nul doute qu'un procureur français saurait se montrer encore plus dur.

Non, il était temps de mettre un terme à cette insanité ! Il se leva, remonta les Champs-Elysées vers l'Etoile et demanda à un gardien de la paix l'adresse du commissariat le plus proche. C'était dans la troisième rue à gauche d'une avenue descendant vers les Ternes. Deux *agents* parlaient courses ; une plaque émaillée, dans l'étroit couloir à forte odeur de désinfectant, indiquait que les bureaux étaient au premier étage. Sa résolution diminuant à chaque marche, Latimer monta l'escalier du *poste*. Derrière un comptoir poli par d'innombrables mains, un homme en civil tapait sur une machine à écrire antique. Un gardien en uniforme, sous l'une des lampes pendant au bout d'un long fil, examinait à l'aide d'une glace de poche l'intérieur de sa bouche.

Latimer s'arrêta au bord du comptoir, se demandant comment diable exposer sa requête. S'il disait : « J'allais faire chanter un criminel, ce soir, mais j'ai changé d'avis », on le prendrait pour un fou ou pour un ivrogne. Il valait mieux partir du commencement : « J'étais à Istanbul, il y a quelques semaines, et j'ai entendu parler d'un meurtre commis en 1922. Tout à fait par hasard, j'ai appris que le meurtrier vivait à Paris et qu'il allait être soumis à une tentative de chantage... » Le fonctionnaire ôta la page de la machine et tourna la tête :

— Qu'est-ce qu'il y a ?

— Je voudrais parler à M. le commissaire.

— A quel sujet ?

— J'ai des informations à lui communiquer.

L'homme fronça les sourcils :

— Quelles informations ? Soyez plus clair.

— Il s'agit d'une affaire de chantage.

— On veut vous faire chanter ?

— Pas moi. Une autre personne. C'est assez compliqué et très sérieux.

— Votre *carte d'identité,* s'il vous plaît.

— Je n'en ai pas. Je suis un touriste. Je suis arrivé en France il y a quatre jours.

— Alors, votre passeport.

— Il est à mon hôtel.

Le visage du fonctionnaire se détendit. La conversation

venait sur un terrain familier. Il dit avec une tranquille assurance :

— Ah ! ah ! Vous êtes anglais, monsieur ?

— Oui.

— Il faut que vous compreniez bien, monsieur, que vous devez avoir vos papiers sur vous. C'est la loi. Si vous étiez pris dans une rafle, dans une *boîte de nuit,* vous passeriez la nuit au poste. Si vous aviez un accident, hein ? Votre nom et l'adresse de votre hôtel, s'il vous plaît ?

L'homme les nota, décrocha le téléphone et dit : « *Septième.* » Il y eut une pause. Puis il donna le nom et l'adresse, demanda confirmation, attendit. Après une nouvelle pause d'une minute, il hocha la tête : « *Oui, c'est ça. Bien. Merci, vieux. Au revoir.* »

— Ça va.

Il sourit avec bienveillance et compétence.

— Vous vous présenterez au commissariat de la rue Amélie, Septième, dans les vingt-quatre heures. Vous ferez votre déclaration en même temps. Et n'oubliez plus votre passeport. Il n'y aura pas de suite, puisque vous êtes anglais. Mais évitez que ça se reproduise. Vous auriez des ennuis. *Au revoir,* monsieur.

Latimer se retrouva dans la rue, à la fois irrité et soulagé. En somme, il l'avait échappé belle, grâce à cet imbécile. Si sa plainte avait été prise au sérieux, il serait peut-être arrêté à l'heure qu'il était. Il haussa les épaules et partit, de meilleure humeur. Il avait essayé de faire son devoir de citoyen respectueux des lois ; les lois ne semblaient pas se soucier de sa coopération. Tant pis ! Il entra dans le premier restaurant de l'avenue des Ternes, fit un dîner léger, mais arrosé d'un honnête bordeaux et de deux fines. « Dommage, songea-t-il en marchant vers son rendez-vous, à huit heures moins le quart, boulevard Haussmann, que je ne puisse pas en conscience accepter une part du million. » Le prix de sa curiosité se révélait coûteux, plus encore en tension nerveuse qu'en argent dépensé.

M. Peters arriva en retard de dix minutes, portant une

grosse valise bon marché, l'air exagérément calme d'un chirurgien qui va effectuer une opération difficile. Il dit bonsoir, s'assit et commanda une liqueur de framboise.

— Tout va bien ? demanda Latimer.

La question n'était pas de pure rhétorique. Il voulait vraiment savoir si le plan se déroulait selon les prévisions.

— Jusqu'à maintenant, oui. Je n'ai pas eu de réponse, naturellement. Nous allons voir.

— Qu'avez-vous dans cette valise ?

— De vieux journaux. Il ne faut pas arriver à l'hôtel sans bagage. Ça fait mauvais effet. Je me suis décidé pour l'avenue Ledru-Rollin à cause du métro.

— Nous ne pouvons pas y aller en taxi ?

— Nous irons en taxi, mais nous reviendrons en métro. Vous verrez.

Il but sa liqueur, se lécha les lèvres et dit qu'il était temps de partir.

L'hôtel était petit, crasseux. Un homme grisâtre en manches de chemise sortit d'une pièce intitulée *bureau,* mâchant une bouchée de nourriture.

— J'ai retenu une chambre par téléphone, dit Peters.

— Monsieur Petersen ?

— Oui.

— C'est une grande chambre, dit l'homme en les détaillant des pieds à la tête. Quinze francs pour un. Vingt francs pour deux. Douze pour cent de service.

— Monsieur ne reste pas avec moi.

L'homme prit une clé au tableau, s'empara de la valise et les précéda au deuxième étage. M. Peters jeta un coup d'œil sur la chambre et approuva d'un signe :

— Parfait. Un ami me demandera à neuf heures. Faites-le monter.

L'hôtelier parti, Peters s'assit sur le lit :

— Parfait, répéta-t-il. Pas trop cher.

Latimer regarda, avec un intérêt qui n'était pas seulement sa curiosité professionnelle, la pièce étroite à la moquette élimée, l'armoire de sapin, les deux chaises, la table branlante, le *bidet* émaillé sous le lavabo. Le papier de tapisserie était à fleurs rouges et les rideaux, épais, bleus, suspendus à des anneaux de métal noir. M. Peters consulta sa montre :

— Un quart d'heure. Installons-nous confortablement. Voulez-vous le lit ?

— Merci, non. Je suppose que c'est vous qui parlerez.

— Je crois que ça vaut mieux.

Il tira son Lüger, l'examina soigneusement, le remit dans sa poche.

Latimer se sentait maintenant très mal :

— Je n'aime pas tout ça.

— Moi non plus, monsieur Latimer. Mais nous y sommes. Autant prendre des précautions. Remarquez, je suis certain qu'elles seront inutiles. N'ayez pas peur.

Latimer ne protesta pas. Les questions de vanité ne comptaient plus. Il se souvint d'un film dont une scène sanglante se déroulait dans un hôtel bizarrement semblable :

— Qu'est-ce qui empêcherait Dimitrios d'envoyer à sa place des hommes de main pour nous abattre ?

M. Peters sourit avec une réelle gentillesse :

— Allons, allons ! Ne laissez pas courir votre imagination, monsieur Latimer. Dimitrios est beaucoup trop prudent. Ce n'est pas sa manière de procéder.

— Quelle est sa manière ?

— Il réfléchit toujours avant d'agir.

— Il a eu un jour entier pour réfléchir.

— Oui, mais il ne sait pas ce que nous savons au juste, ni qui hors de nous sait ce que nous savons. Laissez-moi faire, cher ami. Je comprends Dimitrios.

Latimer faillit dire que Visser avait eu probablement la même confiance. Il y renonça, soudain traversé d'un souci plus inquiétant :

— Vous vous proposez de disparaître après que Dimitrios vous aura donné un million de francs. Est-ce qu'il ne s'inquiétera pas de ne pas nous voir revenir pour une autre somme ? Est-ce qu'il ne cherchera pas à nous retrouver ?

— Retrouver M. Smith et M. Petersen ? Ce serait difficile.

— Il vous connaît. Il va voir mon visage. Je ne suis pas célèbre, mais ma photographie paraît dans les journaux et sur la couverture de mes livres.

— Oui, il y a eu des coïncidences plus étranges. Alors, cachez-vous le visage. Portez-vous des lunettes ?

— Pour lire.

— Mettez-les. Mettez aussi votre chapeau. Relevez le col de votre veston. Asseyez-vous dans le coin sombre de la pièce. Voilà.

Latimer obéit. Peters se recula et jugea de l'effet :

— Très bien. Après toutes ces préparations, nous aurions bonne mine si Dimitrios ne venait pas, non ?

— Y a-t-il une chance qu'il nous pose un lapin ? grogna Latimer, qui se trouvait bonne mine de toute façon.

— Qui sait ? dit Peters en se rasseyant sur le lit. Il peut ne pas avoir reçu ma lettre. Il peut avoir quitté Paris à l'improviste. Je crois cependant qu'il viendra.

Il y eut un silence lourd. Peters sortit une lime et se cura les ongles. Latimer avait l'impression pénible que ce silence avait une qualité matérielle, qu'il suintait comme un fluide des coins de la chambre. Il perçut le tic-tac de sa montre. Une éternité plus tard, il crut entendre la montre de Peters. Il devait faire un effort immense pour ne pas regarder l'heure. Jamais il n'avait senti passer le temps avec tant d'acuité et de peine.

Soudain, une marche craqua. Le bruit le heurta comme un coup de feu.

M. Peters laissa tomber sa lime et plongea la main dans sa poche.

Il y eut une pause. Son cœur battant douloureusement, Latimer fixait la porte. On frappa doucement.

M. Peters se leva, marcha vers la porte, la main dans sa poche, ouvrit.

Latimer le vit regarder un instant dans l'obscurité du couloir et se reculer.

Dimitrios entra.

XIV

# Le masque de Dimitrios

Les traits d'un homme, la structure des os et des muscles sont le résultat d'un processus biologique ; mais il crée son visage. C'est une image de son attitude émotive habituelle ; la projection de ses désirs et des craintes qu'il cache aux yeux d'autrui. C'est aussi un instrument pour produire chez les autres des émotions complémentaires des siennes. S'il a peur, il se compose un masque redoutable ; s'il désire, il cherche à se faire désirable. C'est un vêtement de sa nudité psychologique. Rares sont les peintres pénétrants qui ont su dévoiler l'esprit qui se cache derrière le camouflage de chair. La plupart des humains ont besoin d'interpréter les paroles et les actes pour comprendre la signification d'un visage. Et, bien qu'ils sachent que la réalité d'un être coïncide rarement avec son apparence, ils sont choqués par une démonstration de ce fait si commun.

Latimer s'attendait à voir en Dimitrios une incarnation du mal. Il fut littéralement désemparé de se trouver en face d'un homme mince, droit, vêtu d'un costume sobre de coupe française, le chapeau à la main, les cheveux grisonnants nettement coupés, le portrait même de la respectabilité et de la distinction.

Il paraissait un peu plus grand que le mètre quatre-vingt-deux attribué par la police bulgare. Avec sa pâleur olivâtre, ses hautes pommettes, son nez mince, il avait l'air d'un diplomate balkanique. Les yeux seuls recoupaient les idées préconçues de Latimer.

Ils étaient très bruns et semblaient d'abord contractés par la myopie ou l'inquiétude. Mais la contraction des sourcils manquait. L'expression de souci était une illusion d'optique. Le visage était en fait aussi impassible que celui d'un reptile.

Un moment, les yeux étudièrent l'écrivain. Puis Dimitrios tourna la tête vers Peters et dit :

— Présentez-moi à votre ami. Je ne crois pas le connaître.

Latimer faillit sursauter. La voix était beaucoup plus révélatrice que l'apparence visible. Elle était grossière, acide. Dimitrios parlait très doucement, comme conscient de la laideur de son timbre. Ses efforts étaient inutiles. En dépit de la politesse des paroles, le son était aussi menaçant que le crissement du serpent à sonnette.

— Il s'appelle Smith, dit Peters. Il y a une chaise derrière vous. Vous pouvez vous asseoir.

Dimitrios ignora le conseil :

— Monsieur Smith. Un Anglais, je présume. Vous connaissez Visser ?

— J'ai vu Visser, dit Latimer, heureux que la phrase soit courte.

— C'est le sujet de notre conversation, Dimitrios, ajouta M. Peters.

— Oui ?

Dimitrios s'assit.

— Parlez et finissons-en. Je n'ai pas de temps à perdre.

M. Peters secoua la tête avec chagrin :

— Vous n'avez pas changé, Dimitrios. Toujours impétueux, toujours désagréable. Après tant d'années, pas un mot aimable, pas un regret pour le tort que vous m'avez causé. Vous n'avez pas été gentil, vous savez, de nous livrer à la police. Nous étions de fidèles adjoints. Pourquoi avez-vous agi ainsi ?

— Vous parlez toujours trop. Que voulez-vous ?

Peters se posa délicatement sur le bord du lit :

— Puisque vous insistez pour faire de cette rencontre un simple rendez-vous d'affaires, nous voulons de l'argent.

Les yeux bruns se posèrent sur Peters :

— Cela va sans dire. Qu'avez-vous à vendre ?

— Notre silence, Dimitrios. Il est sans prix.
— Vraiment ! Combien ?
— Un million de francs.
Dimitrios se redressa sur la chaise et croisa les jambes :
— Et qui va vous le donner ?
— Vous, Dimitrios. Et vous vous en tirerez à bon compte.
Dimitrios sourit.
C'était une grimace lente, d'une incroyable férocité. Latimer se sentit soulagé de ne pas conduire l'entretien. Dimitrios n'avait plus l'air d'un diplomate, même en une époque où la diplomatie n'était plus réservée aux gens bien élevés. Il avait l'air d'un assassin.
— Vous allez me fournir des précisions, j'espère.
M. Peters hésita avec une sorte de coquetterie. A la surprise de Latimer, le gros homme jouissait visiblement de la situation :
— Il y a tant de choses... On ne sait par où commencer. La police serait sans doute curieuse d'apprendre que son informateur de 1931 est un administrateur du Crédit Eurasien.
Latimer crut voir une expression de soulagement passer sur les traits rigides.
— Vous estimez que je vais payer un million pour ça ? Mon brave Petersen, vous êtes un enfant.
Peters eut son sourire séraphique :
— Le mépris de vos frères humains vous perdra, mon bon Dimitrios. Vos respectables associés aimeraient-ils que votre passé de marchand de femmes tombe dans le domaine public ?
Dimitrios considéra la chose et reprit :
— Pourquoi tournez-vous autour du pot, Petersen ? Ou bien ne faites-vous que préparer la voie à votre Anglais ?
Il se tourna vers Latimer.
— Qu'avez-vous à dire, monsieur Smith ? Ou est-ce que vous n'êtes ni l'un ni l'autre très sûrs de vous ?
— Petersen est mon porte-parole, dit Latimer, souhaitant avec ferveur que Peters le tire d'embarras.

— Puis-je continuer ? demanda Peters.

— Allez-y.

— La police yougoslave serait peut-être intéressée, si on lui apprenait que M. Talaat...

Dimitrios rit méchamment :

— Ainsi, Grodek a mangé le morceau. Pas un *sou* pour ça, mon bon. C'est tout ?

— Athènes, 1922. Cela vous dit quelque chose, Dimitrios ? Le nom était Taladis, n'est-ce pas ? Tentative de meurtre et vol. Ça vous amuse toujours ?

Peters avait le masque de méchanceté maniaque que Latimer n'avait vu qu'à Sofia. Dimitrios le regarda, impassible. Mais l'atmosphère était subitement chargée d'une haine horrible. Peters tira son pistolet et le soupesa :

— Vous vous taisez, Dimitrios ? Je continue. Vous avez assassiné un usurier juif à Smyrne. Comment s'appelait-il, monsieur Smith ?

— Sholem.

— Sholem, bien sûr. M. Smith a découvert cela, Dimitrios. M. Smith, je précise, est un grand ami de la police secrète turque. Un million de francs, Dimitrios, est-ce trop cher ?

Dimitrios regardait le tapis à ses pieds :

— Je crois que le meurtrier de ce Sholem a été pendu.

— Est-ce vrai, monsieur Smith ?

— Un nègre nommé Dhris Mohammed a effectivement été pendu. Mais il a laissé une confession impliquant Dimitrios Makropoulos. La police turque souhaitait retrouver cet homme pour une autre raison. Il était impliqué dans une conspiration contre la vie de Kemal Ataturk.

— Vous voyez, Dimitrios, nous sommes bien informés. Nous continuons ?

Peters resta une demi-minute silencieux. Dimitrios regardait devant lui. Pas un muscle de son visage ne bougeait.

Peters se pencha confidentiellement vers Latimer.

— Dimitrios commence à comprendre, je crois. Je suis sûr que nous l'intéressons énormément.

Il se redressa, braquant fermement son pistolet :

— M. Smith a vu le cadavre de Visser, dans la morgue de la police, à Istanbul. Les Turcs ont eu la naïveté de croire qu'il s'agissait de vous, Dimitrios. M. Smith a partagé cette erreur. J'ai eu la joie de le détromper. Pas de commentaires, Dimitrios ? Je poursuis. Désirez-vous savoir comment je vous ai retrouvé ? Non. Voulez-vous que j'explique combien il serait facile, maintenant, de créer un remue-ménage intéressant en Turquie, en France, en Bulgarie, en Suisse et autres lieux ? Toujours non ? Vous êtes têtu, mon cher. Croyez-vous que votre passeport actuel serait une protection efficace, pour un homme qui s'est appelé Makropoulos, Talaat, Taladis, Rougemont, etc. ? Je concède que les services secrets français pourraient vous aider. Estimez-vous que leurs confrères turcs, qui ont une grande considération pour M. Smith, seraient aussi accommodants ?

Dimitrios regardait toujours devant lui. Enfin, il releva la tête. Ses mots tombaient comme des pierres dans un étang tranquille :

— Je me demande pourquoi vous n'êtes pas plus exigeant, Petersen, puisque vous croyez me tenir à votre merci. Un million est votre prix définitif ?

— Non, Dimitrios. Ce n'est qu'un commencement. Il y aura d'autres occasions de nous prouver votre bonne volonté. Mais nous ne serons pas trop gourmands.

— Je l'espère pour vous. Vous ne voulez pas me contraindre au pire, n'est-ce pas ? Etes-vous les seuls à entretenir cette curieuse illusion que j'ai tué Visser ?

— Oui. Je veux un million en billets de mille francs demain.

— Si tôt ?

— Vous recevrez les instructions par la poste demain matin. Si vous ne les suivez pas exactement, vous n'aurez pas une seconde chance, Dimitrios. La police recevra un dossier complet avant l'aube. C'est clair ?

— Parfaitement.

Pour un observateur non informé, la conversation aurait pu sembler une transaction banale. Mais Latimer sentait que la haine entre les deux hommes avait atteint un point critique. Le Lüger seul retenait Dimitrios de tuer Peters ; Peters devait penser au million pour s'empêcher d'abattre Dimitrios. Deux vies, suspendues au fil mince et solide de l'intérêt.

Dimitrios se leva. Une idée parut lui venir :

— Vous n'avez pas dit grand-chose, monsieur Smith. Je me demande si vous comprenez que votre vie est entre les mains de Petersen. S'il décidait, par exemple, de me confier votre véritable nom, il me serait facile de vous éliminer.

Peters montra ses fausses dents :

— Je serais fou de me priver de l'aide de M. Smith. Sans lui, je ne peux pas prouver que vous avez tué Visser.

Dimitrios ignora l'intervention de Peters :

— Alors, monsieur Smith ?

Latimer regarda les yeux bruns et anxieux, pensant à la phrase de la Preveza. Elle avait tort. Aucun médecin ne pouvait avoir un tel regard. Dimitrios aimait faire mal.

— Je vous assure, dit-il, que Petersen n'a pas l'intention de se débarrasser de moi.

— C'est la vérité même, dit Peters. Nous ne sommes pas idiots, Dimitrios. Allez-vous-en. Nous nous sommes dit tout ce que nous avions à nous dire.

Dimitrios marcha vers la porte. Il s'arrêta :

— Puis-je poser à M. Smith deux questions ?

Peters fit oui de la tête.

— Comment était habillé le prétendu Visser, lorsque vous l'avez vu ?

— Un costume de serge bleue. Une *carte d'identité* émise à Lyon était cousue dans le veston.

— Comment avait-il été tué ?

— D'un coup de poignard au ventre.

M. Peters sourit :

— Vous êtes satisfait, Dimitrios ?

Dimitrios le considéra, impassible :

— Visser était trop gourmand. Vous ne serez pas trop gourmand, Petersen ?

M. Peters le regarda avec une froideur égale :

— Je ferai attention. Pas d'autres questions ? Bien. Vous recevrez vos instructions demain matin.

Dimitrios partit sans un mot. Peters ferma la porte, attendit un instant, puis la rouvrit doucement et disparut dans le couloir. Il revint une minute plus tard :

— Parti, annonça-t-il. Nous allons en faire autant. Il se rassit et alluma voluptueusement un petit cigare. Son sourire s'épanouit comme une fleur après l'orage.

— C'était donc votre Dimitrios. Qu'en pensez-vous ?

— Je n'en sais rien. Peut-être l'aurais-je moins détesté si je n'avais pas entendu tellement d'horreurs sur son compte. Non, je ne sais pas. Il est difficile d'être objectif à propos d'un homme qui se propose de vous tuer. Je ne me doutais pas que vous le haïssiez à ce point.

M. Peters devint grave :

— Je vous assure que je ne m'en doutais pas moi-même. Certes, je ne l'aimais pas. Mais ce n'est qu'en le voyant dans cette pièce que j'ai réalisé que je le haïssais assez pour le tuer. Si j'étais superstitieux, je croirais que l'esprit du pauvre Visser est entré en moi.

Il resta rêveur et murmura :

— *Salop !*

Soudain, il regarda Latimer.

— Je dois vous avouer une chose. Je n'avais pas l'intention de vous donner ce demi-million.

Il serra les lèvres, comme s'il s'attendait à recevoir un coup.

— Ça ne m'étonne pas, dit l'écrivain sèchement. J'ai failli accepter votre offre rien que pour voir comment vous me voleriez.

M. Peters grimaça :

— C'est judicieux de votre part, monsieur Latimer, mais pas très gentil de ne pas me faire confiance. Je suppose que je ne peux pas vous en blâmer.

Il soupira.

— L'Etre suprême a fait de moi ce que l'on nomme un criminel ; je dois parcourir la voie qu'Il m'a tracée avec une patiente résignation. Ne me croyez pourtant pas insensible et entièrement mauvais. Nos relations ont été empoisonnées par la présence, par l'idée de Dimitrios. J'ai rencontré beaucoup d'hommes violents et mauvais, monsieur Latimer. Mais je vous assure que Dimitrios est unique. A votre avis, pourquoi vous a-t-il suggéré que je pouvais vous trahir ?

— Pour nous diviser, je présume.

— Non, mon cher ami. Dimitrios est plus subtil que ça. Il vous laissait délicatement entendre que j'étais un associé inutile et que vous pouviez vous débarrasser de moi en lui indiquant mon adresse.

— Il m'offrait de vous tuer pour augmenter mes bénéfices, si je comprends bien ?

— Exactement. Il ignore, naturellement, que vous ne savez pas mon nom actuel et où l'on peut me trouver.

Il se leva et mit son chapeau.

— Dimitrios est une bête sauvage, monsieur Latimer. Malgré mes précautions, j'ai peur de lui. Je regrette profondément que ce soit exclu de le livrer à la police. Allons-nous-en. Je laisse l'argent de la chambre sur la table. Ils peuvent garder la valise comme *pourboire*.

M. Peters déposa la clé et dit au patron qu'il remplirait la fiche à son retour. Dans la rue, il fit halte :

— Avez-vous déjà été suivi ?

— Pas que je sache.

— Eh bien, vous l'êtes. Dimitrios n'espère certainement pas que nous le conduirons à notre domicile, mais il ne néglige rien.

Il regarda par-dessus l'épaule de Latimer.

— Voilà. Il était ici quand nous sommes arrivés. Ne vous retournez pas. Vous le verrez tout à l'heure. Un homme en imperméable gris, avec un chapeau noir.

L'oppression qui avait quitté Latimer au départ de Dimitrios se réinstalla :

— Qu'allons-nous faire ?

— Rentrer en métro.

— Quel avantage ?

— Ne vous inquiétez pas.

La station Ledru-Rollin était à cent pas. Latimer avait les mollets durcis par un besoin ridicule de courir. Ils descendirent les marches, et M. Peters acheta deux billets de seconde classe.

— Maintenant, restez près de moi.

En faisant poinçonner son ticket, Latimer estima qu'il pouvait regarder derrière lui. Un jeune homme en imperméable gris examinait une affiche à dix mètres d'eux. Le couloir était long ; il se divisait en deux près des quais ; des plaques émaillées indiquaient : *Direction* Porte de Charenton, *Direction* Balard. M. Peters s'arrêta à l'intersection :

— Faisons semblant de nous dire au revoir. Parlez, s'il vous plaît. Pas trop fort. Je veux écouter.

— Ecouter quoi ?

— Le bruit des trains. J'ai passé une demi-heure ce matin à préparer la manœuvre.

— Je ne comprends vraiment pas ce...

Peters saisit le bras de Latimer. Un convoi grondait au loin.

— *Direction* Balard. En route. Restez à côté de moi et ne marchez pas trop vite.

Ils prirent le couloir de droite. Le convoi semblait entrer dans la station. Le portillon vert à fermeture automatique se déclencha.

— *Vite,* dit Peters.

Il poussa l'écrivain, qui franchit le portillon à moitié fermé. Peters se faufila de justesse. Malgré un sprint à la dernière seconde, le suiveur n'avait pu passer. Il restait, rouge, furieux, contre le portillon. Ils montèrent dans un wagon ; le convoi démarra.

— Alors ? demanda M. Peters en reprenant son souffle.

— Très ingénieux.

Le fracas empêchait toute conversation. Latimer fixait distraitement une réclame de Gauloises. Le colonel Haki avait raison. L'histoire de Dimitrios n'aurait pas de conclusion. Dimitrios achèterait le silence de Peters. Peut-être le retrouverait-il plus tard, et le gros homme mourrait comme Visser. Un jour, Dimitrios mourrait aussi, probablement de vieillesse. Latimer n'en saurait rien. Il serait en train d'écrire un roman, avec un commencement, un milieu, une fin, démontrant que la justice triomphe et que le crime ne paie pas. Le Crédit Eurasien continuerait à prospérer.

Au Châtelet, ils prirent la *correspondance* pour Saint-Sulpice. En émergeant rue de Rennes, Peters chantonnait.

— Une tasse de café, cher ami ? dit-il, s'arrêtant devant un *bistrot.*

— Non, merci. Vous postez la lettre maintenant ?

— Je le ferai sur mon chemin. Le rendez-vous est fixé à onze heures du soir, au coin du Cours-la-Reine et de la rue Bayard. M'accompagnerez-vous ? Je l'espère, continua-t-il sans donner à Latimer le temps de répondre, je vous trouve si sympathique et notre association a été bien profitable. Pour moi, du moins. Je me sens un peu coupable. Vous avez eu des frais. Ne voulez-vous pas accepter au moins mille francs ? demanda-t-il avec une ombre d'inquiétude.

— Non.

— Non, bien sûr. Laissez-moi alors la satisfaction de célébrer demain soir le succès de notre entreprise en votre compagnie. Nous boirons un verre de bon vin. Qu'en pensez-vous ?

— Je pense que vous voulez me garder à portée de la main jusqu'à ce que Dimitrios ait payé, pour le cas où il ne se soumettrait pas à votre chantage.

— Oh, monsieur Latimer, dit le gros homme tristement, vous êtes injuste...

— Bon, d'accord.

Latimer l'interrompit avec irritation.

— Je vous accompagnerai. Je n'en suis plus à un jour près. Mais à une condition. Le vin sera du champagne ; il viendra de France et pas de Meknès ; il sera d'une *cuvée* de 1919 ou de 1921. La bouteille vous coûtera cent francs au bas mot.

M. Peters fit un sourire courageux :

— Vous l'aurez.

XV

# La fin du voyage

Une pluie froide tombait sur Paris. Peters et Latimer attendaient depuis une demi-heure à l'abri d'une *porte cochère.*

— Ça va durer encore longtemps ?

— Ils ne devraient plus tarder.

Deux hommes du milieu avaient été recrutés pour prendre à l'autre bout de la ville l'envoyée de Dimitrios.

— Je leur ai dit, continua M. Peters, de s'assurer qu'ils n'étaient pas suivis. Ils sont très consciencieux.

L'écrivain avait les pieds humides. Sa place était louée pour le lendemain dans l'Orient-Express. Un train, songea-t-il, ne serait pas l'endroit idéal où soigner un rhume. En rentrant à l'hôtel, il ferait bien d'avaler un comprimé d'aspirine. Une exclamation de Peters le tira de ces réflexions hygiéniques.

— Les voilà.

Une grosse Renault décrochait de la voie proche de la Seine, contournait le terre-plein et revenait vers eux. Elle stoppa le long du trottoir. Peters s'avança, la main droite dans la poche. Il se pencha et demanda :

— *Ça va ?*

— *Oui*, dit quelqu'un de l'intérieur de la voiture.

Un paquet fut tendu par la vitre baissée.

— *Attendez.*

Peters revint sous le porche :

— Voulez-vous allumer votre briquet, s'il vous plaît ?

Latimer obéit. Le paquet avait le volume et la forme d'un gros livre. Il était enveloppé d'un papier bleu que

Peters déchira. Une pile épaisse de *billets de mille* apparut.

— Vous devez les compter ?

— C'est un plaisir que je réserve pour le confort de mon foyer, dit Peters avec extase. Magnifique !

Il glissa le paquet dans son pardessus et fit signe. La Renault démarra.

— La femme était jolie. Je me demande qui elle est. Mais je préfère le million. Maintenant, mon cher Latimer, un taxi et votre champagne. Nous l'avons bien mérité.

Ils quittèrent le taxi au coin du boulevard Saint-Germain. Peters exultait :

— Avec un type comme Dimitrios, il faut être ferme et circonspect. Il a compris qu'il devait filer droit. Dommage de ne pas avoir demandé deux millions ! Mais non. C'est plus sûr ainsi. Je voudrais voir la tête de Dimitrios, quand il comprendra que je l'ai eu et qu'il n'aura pas l'occasion de me liquider. Il y a des moments dans la vie, Latimer, où l'on sait que l'Etre suprême n'abandonne pas ceux qui ont foi en lui. J'ai souffert. J'ai ma récompense.

— Allez-vous quitter Paris immédiatement ?

— Et comment ! Je vais prendre le premier bateau pour l'Amérique du Sud. Pas pour mon pays d'adoption, hélas ! Une condition de ma naturalisation est que je n'y entrerai jamais. Je le regrette, sentimentalement. Enfin, je suis un citoyen du monde. Telle est ma destinée. Tout de même, le moment est venu de choisir la retraite de mes vieux jours. A mon âge, on commence à penser à sa destination finale. Ce n'est pas agréable, certes. Comme si l'on approchait de la fin du voyage, et que l'on doive bientôt quitter un train tiède pour un hôtel inconnu. Mais il faut se résigner. L'Etre suprême en a décidé ainsi. Ne discutons pas sa volonté impénétrable.

En franchissant la grille de l'impasse, il rit :

— Votre champagne vous attend, monsieur Latimer. Il est hors de prix, comme vous me l'aviez annoncé. Je ne suis pas ennemi d'un peu de luxe, de temps en temps. Cela aide à apprécier la simplicité.

Il leva les yeux vers la façade noire des trois immeubles :

— Je vais cependant retarder mon départ de quelques jours. Il faut que je me débarrasse de cette propriété inutile.

— Vous aurez du mal. L'endroit est déprimant.

— Il y en a beaucoup de moins plaisants en ce monde, mon cher.

L'essoufflement le fit se taire pendant l'ascension de l'escalier raide. Il ouvrit la porte, alluma, jeta son pardessus et posa le paquet sur la table. Son sourire, tandis qu'il disposait soigneusement le tas de billets, était sincère :

— Avez-vous contemplé autant d'argent dans votre vie ? Fêtons cet heureux événement. Otez votre manteau. Je vais chercher le champagne. Je n'ai pas de glace. Mais je l'ai mis dans le lavabo. Il sera frais.

Il se dirigea vers l'ouverture du rideau en faux or. Latimer secoua la tête en enlevant son pardessus mouillé. Un moment de patience et l'épisode le plus ridicule de sa vie serait clos. Soudain, il eut le bizarre sentiment que le silence était anormal. Il se retourna et faillit s'évanouir. C'était comme si le sang se retirait de sa tête et de ses membres. Peters était planté devant l'ouverture du rideau, les mains levées. Dimitrios le menaçait d'un revolver.

— Ce n'est pas flatteur que vous soyez si étonné, Petersen, dit-il de sa voix âcre. Vous me prenez pour un idiot.

Les yeux bruns considérèrent l'écrivain :

— Votre ami anglais est ici, heureusement pour vous. J'aurais dû vous faire parler avant de vous descendre. Mon bon Petersen, votre tort est de confondre l'ingéniosité et l'intelligence. Comme lorsque vous avez rapporté de la marchandise dans un cercueil. L'ingéniosité n'est jamais un substitut pour la véritable intelligence. Avez-vous réellement cru que je ne lirais pas dans votre jeu ?

Les lèvres minces se pincèrent en une grimace de mépris.

— Pauvre Dimitrios ! Si simple ! Il pensera que moi, le brillant Petersen, je reviendrai demander de l'argent, comme n'importe quel maître chanteur. Il ne devinera pas que je m'enfuirai avec mon million. Mais, pour convaincre le stupide Dimitrios, je dirai que je reviendrai. Ce que ne fait jamais le maître chanteur. Il ne s'avisera pas non plus que ces maisons ont été achetées par un certain Caillé, un mois après ma sortie de prison. Alors qu'elles avaient été à vendre pendant cinq ans lorsque le niais de Dimitrios les a achetées. Petersen, votre sottise me soulève le cœur.

Les yeux bruns anxieux se durcirent. Latimer sut que Dimitrios allait tuer Peters et que rien ne pouvait l'en empêcher. Subitement, Peters sembla réaliser ce qui se passait. Il cria :

— Non, non...

Deux coups de feu tonnèrent. Peters poussa un grognement sourd et tomba. Dimitrios braqua son revolver sur Latimer. Une force involontaire s'empara de celui-ci. Il chargea Dimitrios, buta sur le tapis, tomba, le souffle de la poudre lui brûlant le front, il se retourna, sentit sous ses doigts le plateau de la table basse, le lança. Un instant plus tard, ses doigts se refermaient sur le pistolet lâché par Dimitrios. Blême, marqué à la joue par l'arête du plateau, Dimitrios se redressa lentement. Debout, il fit un pas en avant.

— Ne bougez pas ou je tire, dit Latimer.

Il sentait ses genoux se dérober. La force le soutenait comme un pantin au bout d'une ficelle. Dimitrios était décoiffé. Son écharpe pendait. Il surveillait Latimer étroitement. Il avait l'air dangereux.

— Ne bougez pas ou je tire, répéta Latimer, ne sachant que faire.

— Qu'allez-vous faire ? dit calmement Dimitrios, répondant à l'incertitude de l'écrivain. Vous ne pouvez pas alerter la police. Nous nous retrouverions tous les deux en prison. Si vous me tuez, vous n'aurez qu'un million. Je vous en offre deux.

Latimer recula pour regarder Peters sans perdre Dimitrios de vue. Peters avait rampé jusqu'au divan. Il avalait péniblement l'air. Une affreuse blessure saignait à la base de son cou. L'autre balle avait pénétré dans la poitrine, formant une tache rouge large comme la main.

— Comment allez-vous ? dit Latimer stupidement.

— Mon pistolet, murmura Peters, mon pardessus.

Il cracha une gorgée de sang.

Latimer, le regard et son arme fixés sur Dimitrios, trouva en tâtonnant le Lüger. Dimitrios suivait ses mouvements avec un sourire mince. Peters prit le pistolet à deux mains.

— Cherchez la police.

— Elle va venir. Quelqu'un aura entendu les coups de feu.

— Non. Connais la maison. Pas entendu.

— Bon, où est le téléphone ?

— Pas téléphone. Allez.

Latimer comprit la situation et hésita. Il fallait peut-être dix minutes pour revenir avec la police. Pouvait-il abandonner un grand blessé avec un fauve comme Dimitrios ? La blessure de Peters saignait terriblement.

— Bon, dit-il. Je ferai aussi vite que possible.

Il se dirigea vers la porte.

— Monsieur, dit Dimitrios avec un ton qui figea Latimer, voulez-vous que cette charogne me tue ? Pourquoi n'acceptez-vous pas mon offre ?

— Si vous bougez, vous serez tué, en effet.

Latimer se pencha sur Peters.

— Ne tirez pas sans nécessité. Je reviens tout de suite avec la police.

Peters avait les yeux presque fermés. Il ne sembla pas entendre Latimer. Dimitrios eut un rire bref. Latimer fut curieusement offensé :

— Si j'étais vous, je réserverais ce rire pour la guillotine.

— Je pensais, dit calmement Dimitrios, que l'on est toujours vaincu par la bêtise. Si ce n'est par sa propre bêtise, c'est par celle d'autrui. Voyons, monsieur. Soyons raisonnables. Cinq millions.

Latimer le regarda pensivement. Dimitrios était presque convaincant. Mais il se rappela que d'autres avaient été convaincus par Dimitrios. Il ouvrit la porte, sans vouloir entendre ce que Dimitrios criait derrière lui.

Il avait à peine descendu un étage quand les coups de feu claquèrent. Trois en succession rapide, puis un. Il remonta en courant, sur le point de vomir, étonné cependant d'avoir peur pour Peters.

Dimitrios n'était pas beau à voir. Une seule balle l'avait manqué. Deux l'avaient frappé au ventre. La dernière, tirée après qu'il fut tombé, lui avait arraché le sommet du crâne. Des traînées de sang et des fragments de cervelle avaient giclé sur le mur.

Latimer se précipita vers Peters. Le pistolet avait glissé de ses mains. Un sang noir débordait de sa bouche.

Il se releva en hâte. Il devait appeler la police sans délai. Mais... comment expliquer sa présence ? Pouvait-il dire qu'il passait par hasard devant l'impasse, qu'il avait entendu les coups de feu, qu'il avait trouvé... Non. Impossible. L'enquête révélerait qu'il connaissait Peters, qu'il avait dîné avec lui.

Subitement, une lucidité parfaite l'inspira comme une grâce divine. Tout était clair dans son esprit. Il sortit de sa poche le revolver de Dimitrios, l'essuya avec son mouchoir, enfila ses gants. Il pressa l'arme dans la main inerte de Dimitrios. Qu'avait-il encore touché ? Le plateau. Il effaça ses empreintes. Le bouton de la porte. Il l'essuya. Les billets de mille francs avaient volé dans toute la pièce. Il regarda l'argent avec la même lucidité supérieure. Ces rectangles de papier étaient chargés de mort et de crime. Il y avait là le sang de Sholem et de Dhris, la prison de Boulitch, la prostitution de la Preveza et des filles polonaises, les souffrances des drogués, la défaite de Stamboulitsky et le reste.

Il s'en détourna avec une fatigue immense. Ses mains étaient tachées de sang. Il alla se les laver et vit le champagne de M. Peters. C'était du Verzy 1921. Une demi-bouteille.

Personne ne le vit quitter l'impasse. Il entra dans un café et commanda un cognac.

Sitôt assis, il se mit à trembler de la tête aux pieds, pensant aux cadavres gisant sur les tapis marocains. Il ne pouvait pas les laisser pourrir indéfiniment dans les maisons désertes. Un journal traînait sur la banquette voisine. Il le prit machinalement, le parcourut sans bien savoir ce qu'il cherchait jusqu'au moment où son regard tomba sur un bref article. La grâce, qui l'avait abandonné, revint et lui inspira une dernière démarche. Il déchira l'article, demanda une enveloppe et une feuille de papier. En majuscules, il écrivit : « Enquêtez impasse des Huit-Anges. » Il glissa dans l'enveloppe l'article, qui parlait d'un vol de fourrure.

En quittant le café, il posta la lettre au coin de la rue du Four et de la rue de Rennes.

Ce ne fut que vers quatre heures du matin, après avoir souffert longtemps sur son lit, qu'il put vomir et retrouver un peu de calme.

Les journaux de Paris publièrent la nouvelle quarante-huit heures plus tard. Deux repris de justice avaient été trouvés morts dans un appartement proche de Saint-Germain-des-Prés. Une forte somme d'argent trouvée sur les lieux conduisait à penser qu'il s'agissait d'un règlement de comptes.

Latimer lut ces informations à l'arrêt de Bucarest, deux jours plus tard. Le matin de son départ, l'image de Peters et de Dimitrios, écrasés par la mort sur les tapis marocains, n'était un peu effacée que par une lettre de Maroukakis, parvenue à l'instant où il payait sa note d'hôtel.

> « Cher Latimer,
>
> Votre lettre m'a un peu surpris, pardonnez-moi de vous le dire. Trop d'expériences m'ont appris que les gens vous oublient facilement, quand ils n'ont plus besoin de vous. Merci de vous être souvenu de moi.
>
> Ici, rien que de très normal. Les journaux sont pleins de protestations contre l'attitude belliciste de la Yougoslavie.

*La menace des revanchards serbes* est le cliché à la mode. La semaine dernière, l'inévitable incident de frontière s'est produit. Une enquête objective a révélé que les quatre soldats yougoslaves qui ont ouvert le feu sur les douaniers bulgares n'étaient pas plus serbes que vous et moi. Deux d'entre eux étaient des criminels connus en Pologne, les deux autres ont disparu. J'ai personnellement découvert qu'ils avaient été engagés, en qualité de terroristes professionnels, par un M. X., venant de Paris. L'article où je racontais ma trouvaille semble s'être volatilisé entre Sofia et Paris. Ne me faites pas dire que je soupçonne le Gouvernement socialiste français de collusion avec le Crédit Eurasien. Ce serait une pure calomnie.

On m'assure que la Seconde Guerre mondiale n'éclatera pas avant l'été. Cela me permet de faire du ski de printemps ; peut-être de me bronzer sur les plages de la mer Noire. Remercions le bon Dieu, comme vous dites en Angleterre, pour ses moindres bienfaits.

Repasserez-vous par Sofia, après votre enquête ? Si oui, je vous reverrai avec joie. Car je vous aime bien. Quelle que soit la folie politique, les relations entre les hommes restent une source de réconfort.

Votre fidèle,

N. MAROUKAKIS. »

Latimer relisait ces mots tandis que l'Orient-Express quittait la gare de l'Est. Ce serait réconfortant de faire un crochet par Sofia. Mais, avant cette escale d'amitié, il devait penser à gagner sa vie.

Il lui fallait d'urgence la trame de son prochain roman. Un motif, un personnage central intéressant, une brochette de suspects pittoresques. Son livre précédent était un peu lourd. Il fallait introduire plus d'humour dans le suivant. Quant au motif, l'argent restait le plus vraisemblable. C'était ennuyeux que les testaments chers au colonel Haki fussent si usés. Pourtant, on pouvait peut-être renouveler le thème. Par exemple, un homme assassinerait une vieille dame riche pour que sa femme ait un revenu personnel. Le cadre ? Un village anglais était toujours amusant. Le moment ? L'été, avec les matches de cricket, les thés chez le pasteur, le tintement des tasses, le parfum du foin coupé. Les gens aimaient lire ce genre de choses. Lui aussi aimait parler du côté aimable de la vie.

Il regarda par la fenêtre du compartiment. Le soleil avait disparu. Les collines s'effaçaient dans la nuit tombante. Trois jours de voyage. Il devait absolument avoir imaginé une intrigue avant l'arrivée.

Le train s'enfonça dans un tunnel.

# Table

IMPRIMERIE BUSSIÈRE À SAINT-AMAND (CHER).
DÉPÔT LÉGAL FÉVRIER 1984. N° 6721 (2880)

# Collection Points

## SÉRIE ROMAN

R1. Le Tambour, *par Günter Grass*
R2. Le Dernier des Justes, *par André Schwarz-Bart*
R3. Le Guépard, *par G. T. di Lampedusa*
R4. La Côte sauvage, *par Jean-René Huguenin*
R5. Acid Test, *par Tom Wolfe*
R6. Je vivrai l'amour des autres, *par Jean Cayrol*
R7. Les Cahiers de Malte Laurids Brigge
*par Rainer Maria Rilke*
R8. Moha le fou, Moha le sage, *par Tahar Ben Jelloun*
R9. L'Horloger du Cherche-Midi, *par Luc Estang*
R10. Le Baron perché, *par Italo Calvino*
R11. Les Bienheureux de La Désolation, *par Hervé Bazin*
R12. Salut Galarneau !, *par Jacques Godbout*
R13. Cela s'appelle l'aurore, *par Emmanuel Roblès*
R14. Les Désarrois de l'élève Törless, *par Robert Musil*
R15. Pluie et Vent sur Télumée Miracle
*par Simone Schwarz-Bart*
R16. La Traque, *par Herbert Lieberman*
R17. L'Imprécateur, *par René-Victor Pilhes*
R18. Cent Ans de solitude, *par Gabriel Garcia Marquez*
R19. Moi d'abord, *par Katherine Pancol*
R20. Un jour, *par Maurice Genevoix*
R21. Un pas d'homme, *par Marie Susini*
R22. La Grimace, *par Heinrich Böll*
R23. L'Age du tendre, *par Marie Chaix*
R24. Une tempête, *par Aimé Césaire*
R25. Moustiques, *par William Faulkner*
R26. La Fantaisie du voyageur, *par François-Régis Bastide*
R27. Le Turbot, *par Günter Grass*
R28. Le Parc, *par Philippe Sollers*
R29. Ti Jean L'horizon, *par Simone Schwarz-Bart*
R30. Affaires étrangères, *par Jean-Marc Roberts*
R31. Nedjma, *par Kateb Yacine*
R32. Le Vertige, *par Evguénia Guinzbourg*
R33. La Motte rouge, *par Maurice Genevoix*
R34. Les Buddenbrook, *par Thomas Mann*
R35. Grand Reportage, *par Michèle Manceaux*
R36. Isaac le mystérieux (Le ver et le solitaire)
*par Jerome Charyn*
R37. Le Passage, *par Jean Reverzy*
R38. Chesapeake, *par James A. Michener*
R39. Le Testament d'un poète juif assassiné, *par Elie Wiesel*
R40. Candido, *par Leonardo Sciascia*
R41. Le Voyage à Paimpol, *par Dorothée Letessier*

R42. L'Honneur perdu de Katharina Blum, *par Heinrich Böll*
R43. Le Pays sous l'écorce, *par Jacques Lacarrière*
R44. Le Monde selon Garp, *par John Irving*
R45. Les Trois Jours du cavalier, *par Nicole Ciravégna*
R46. Nécropolis, *par Herbert Lieberman*
R47. Fort Saganne, *par Louis Gardel*
R48. La Ligne 12, *par Raymond Jean*
R49. Les Années de chien, *par Günter Grass*
R50. La Réclusion solitaire, *par Tahar Ben Jelloun*
R51. Senilità, *par Italo Svevo*
R52. Trente mille jours, *par Maurice Genevoix*
R53. Cabinet portrait, *par Jean-Luc Benoziglio*
R54. Saison violente, *par Emmanuel Roblès*
R55. Une comédie française, *par Erik Orsenna*
R56. Le Pain nu, *par Mohamed Choukri*
R57. Sarah et le Lieutenant français, *par John Fowles*
R58. Le Dernier Viking, *par Patrick Grainville*
R59. La Mort de la phalène, *par Virginia Woolf*
R60. L'Homme sans qualités, tome 1, *par Robert Musil*
R61. L'Homme sans qualités, tome 2, *par Robert Musil*
R62. L'Enfant de la mer de Chine, *par Didier Decoin*
R63. Le Professeur et la Sirène
*par Giuseppe Tomasi di Lampedusa*
R64. Le Grand Hiver, *par Ismaïl Kadaré*
R65. Le Cœur du voyage, *par Pierre Moustiers*
R66. Le Tunnel, *par Ernesto Sabato*
R67. Kamouraska, *par Anne Hébert*
R68. Machenka, *par Vladimir Nabokov*
R69. Le Fils du pauvre, *par Mouloud Feraoun*
R70. Cités à la dérive, *par Stratis Tsirkas*
R71. Place des Angoisses, *par Jean Reverzy*
R72. Le Dernier Chasseur, *par Charles Fox*
R73. Pourquoi pas Venise, *par Michèle Manceaux*
R74. Portrait de groupe avec dame, *par Heinrich Böll*
R75. Lunes de fiel, *par Pascal Bruckner*
R76. Le Canard de bois (Les Fils de la Liberté, I)
*par Louis Caron*
R77. Jubilee, *par Margaret Walker*
R78. Le Médecin de Cordoue, *par Herbert Le Porrier*
R79. Givre et Sang, *par John Cowper Powys*
R80. La Barbare, *par Katherine Pancol*
R81. Si par une nuit d'hiver un voyageur, *par Italo Calvino*
R82. Gerardo Laïn, *par Michel del Castillo*
R83. Un amour infini, *par Scott Spencer*
R84. Une enquête au pays, *par Driss Chraïbi*
R85. Le Diable sans porte (*tome 1 :* Ah, mes aïeux !)
*par Claude Duneton*
R86. La Prière de l'absent, *par Tahar Ben Jelloun*
R87. Venise en hiver, *par Emmanuel Roblès*

R88. La Nuit du Décret, *par Michel del Castillo*
R89. Alejandra, *par Ernesto Sabato*
R90. Plein Soleil, *par Marie Susini*
R91. Les Enfants de fortune, *par Jean-Marc Roberts*
R92. Protection encombrante, *par Heinrich Böll*
R93. Lettre d'excuse, *par Raphaële Billetdoux*
R94. Le Voyage indiscret, *par Katherine Mansfield*
R95. La Noire, *par Jean Cayrol*
R96. L'Obsédé (L'Amateur), *par John Fowles*
R97. Siloé, *par Paul Gadenne*
R98. Portrait de l'artiste en jeune chien
*par Dylan Thomas*
R99. L'Autre, *par Julien Green*
R100. Histoires pragoises, *par Rainer Maria Rilke*
R101. Bélibaste, *par Henri Gougaud*
R102. Le Ciel de la Kolyma (Le Vertige, II)
*par Evguénia Guinzbourg*
R103. La Mulâtresse Solitude, *par André Schwarz-Bart*
R104. L'Homme du Nil, *par Stratis Tsirkas*
R105. La Rhubarbe, *par René-Victor Pilhes*
R106. Gibier de potence, *par Kurt Vonnegut*
R107. Memory Lane, *par Patrick Modiano*
*dessins de Pierre Le Tan*
R108. L'Affreux Pastis de la rue des Merles
*par Carlo Emilio Gadda*
R109. La Fontaine obscure, *par Raymond Jean*
R110. L'Hôtel New Hampshire, *par John Irving*
R112. Cœur de lièvre, *par John Updike*
R113. Le Temps d'un royaume, *par Rose Vincent*
R114. Poisson-chat, *par Jerome Charyn*
R115. Abraham de Brooklyn, *par Didier Decoin*
R116. Trois Femmes, *suivi de* Noces, *par Robert Musil*
R117. Les Enfants du sabbat, *par Anne Hébert*
R118. La Palmeraie, *par François-Régis Bastide*
R119. Maria Republica, *par Agustin Gomez-Arcos*
R120. La Joie, *par Georges Bernanos*
R121. Incognito, *par Petru Dumitriu*
R122. Les Forteresses noires, *par Patrick Grainville*
R123. L'Ange des ténèbres, *par Ernesto Sabato*
R124. La Fiera, *par Marie Susini*
R125. La Marche de Radetzky, *par Joseph Roth*
R126. Le vent souffle où il veut
*par Paul-André Lesort*
R127. Si j'étais vous..., *par Julien Green*
R128. Le Mendiant de Jérusalem, *par Elie Wiesel*
R129. Mortelle, *par Christopher Frank*
R130. La France m'épuise, *par Jean-Louis Curtis*
R131. Le Chevalier inexistant, *par Italo Calvino*
R132. Dialogues des Carmélites, *par Georges Bernanos*